Motores y Máquinas Térmicas
Ejercicios

Motores y Máquinas Térmicas
Ejercicios

José Luis Hernanz Martos,
Francisco Marcos Martín,
Inés Izquierdo Osado
y Cristina Pascual Castaño

serie
INGENIERÍA ENERGÉTICA
Y FLUIDOMECÁNICA

Consulte la página www.dextraeditorial.com

Diseño de cubierta: **theIdeas. www.ideasjc.net**

© Dextra Editorial S.L.
C/ Arroyo de Fontarrón, 271, 28010 Madrid
Teléfono: 91 773 37 10

ISBN: 978-84-17946-25-8
Depósito Legal: M-M-20291-2020
Impreso en España-*Printed in Spain*

ÍNDICE

PRESENTACIÓN

Será puro el ambiente, como antes,
y la atmósfera azul será serena,
y la brisa amorosa
moverá con sus alas la alameda,
los zorzales floridos,
los guindos de la vega, las mieses de la hoja,
la copa verde de la encina vieja (Gabriel y Galán, 1905)

Los ejercicios que se presentan a continuación tienen por objetivo ayudar al estudiante de ingeniería a entender cómo funcionan los motores y máquinas térmicas. Máquinas que por lo general son utilizadas en muchas labores encomendadas a la ingeniería: los aprovechamientos de montes, la ingeniería civil o la construcción.

Desde el vehículo todo terreno hasta el skidder o tractor forestal, pasando por la motosierra, el autocargador, el bulldozer o empujador, el tractor "agrícola", el TTAE, las mototraillas o los múltiples diseños de retroexcavadoras y palas cargadoras, las procesadoras más modernas o las cosechadoras de biomasa en cultivos energéticos de última generación y aún muchas más máquinas de movimiento de tierras, repoblaciones, jardinería o aprovechamientos que se quedan "entre las teclas del ordenador" todas tienen en común el hecho de disponer de un motor térmico.

No es sencillo en un mundo que anhela "lo verde" aficionarse ante la maravilla del motor de gasolina o de gasoil. Como decía nuestro querido D. Tomás García Andrés, "cierren los ojos, piensen por un momento, lo maravilloso que es introducir una llave de no más de 10 cm de largo en la toma de contacto, giren esa llave, accionen tres pedales y un volante y recorrerán 200 km", parece hasta mágico. Es una pena que nos hayamos acostumbrado a ello y lo veamos como lo más natural del mundo. No debemos perder nuestra capacidad de asombro ante este avance de la técnica al servicio del hombre.

1

CICLOS TEÓRICOS DE LOS MOTORES TÉRMICOS

Introducción.

Los motores térmicos son muy utilizados en la maquinaria móvil, como la maquinaría agrícola, la forestal, la de jardinería, la de movimiento de tierras, los vehículos, los camiones, las motocicletas... Hay dos tipos principales de motores térmicos: los de combustión interna (que son los más utilizados) y los de combustión externa (es el motor Sterling, muy poco utilizado; pero que puede tener un gran futuro si se emplea con biocombustibles sólidos).

En este primer capítulo se enuncian y resuelven problemas relacionados con los ciclos teóricos de los motores térmicos de combustión interna, denominados también, de forma abreviada, MCI.

Hay varios tipos de ciclos en los motores térmicos, siendo los más utilizados y los más importantes los siguientes:

1.- Ciclos de cuatro tiempos: admisión, compresión, expansión y expulsión o escape.
2.- Ciclos de dos tiempos: admisión-expansión, compresión.

Los motores con ciclos de cuatro tiempos, a su vez, se pueden clasificar.

1.- Motores de ciclo Otto, también llamados de encendido por chispa o con bujía. Utilizan como combustible:

- Gasolina sin mezclar, pero con ciertos aditivos como el ETBE o el MTBE para evitar problemas de detonación.

- Una mezcla de gasolina con etanol (se usa bioetanol) en proporciones que varian entre el 5 y el 85% de bioetanol, también con aditivos.

- Bioetanol sin mezclar, con ciertos aditivos para evitar la detonación. Otto utilizó alcohol y bencina en su motor.

2.- Motores de ciclo Diesel, también llamados de encendido por compresión.

Actualmente el combustible utilizado en los motores de ciclo Diesel es mayoritariamente el gasoil, aunque. Sin embargo, y debido al alto precio del petróleo y a que éste es un combustible fósil y agotable cada vez tiene se emplean más los metilésteres obtenidos a partir de aceites biológicos, mezclados o sin mezclar con el gasoil, es el llamado biodiesel.

Conviene aquí reseñar que el primer motor Diesel utilizó como combustible aceite de cacahuete.
En un futuro se puede emplear el e-diesel que es una mezcla de etanol con metiléster o con biodiesel.

Ejercicios resueltos

1.-Un motor de encendido por compresión de 4 tiempos trabaja sobre un ciclo teórico de aire. El consumo de combustible es 15 l/h a 2000 r/min. Sabiendo que la cilindrada es 5000 cm³, la presión en la admisión 0,95 bar, el dosado 1/25, la relación de compresión 22, el poder calorífico inferior del combustible ó PCI = 42000 kJ/kg, R = 8315 J/kmol·K, M_a = 29 kg/kmol, γ = 1,41 y δ_g = 0,86 kg/l. Se pide determinar:

1. El consumo de aire por ciclo.
2. Las coordenadas p,V,T de los puntos singulares del ciclo.
3. El grado de combustión, rendimiento térmico y calor aportado.
4. El trabajo, par motor, potencia y presión media teóricos.

1.- Determinaremos el consumo de combustible por ciclo:

$$C_h = 15\frac{l}{h}\cdot 0,86\frac{kg}{l} = 12,9\frac{kg}{h} = 12900\frac{g}{h}$$

$$C_{ciclo} = \frac{12900\ \dfrac{g}{h}}{\dfrac{2000\ ciclo}{2\ min}\cdot 60\ \dfrac{min}{h}} = 0,215\ \frac{g_c}{ciclo}$$

Consumo de aire m_a: $m_a = 0,215\cdot 25\frac{g_a}{g_c} = 5,375\ \frac{g_a}{ciclo}$

2.- Coordenadas de los puntos singulares:

$$\left.\begin{array}{l} V_1 - V_2 = 5000\ cm^3 \\[2mm] \dfrac{V_1}{V_2} = 22 \end{array}\right\} \qquad \begin{array}{l} V_2 = 238,1\ cm^3 \\[2mm] V_1 = 5238,1\ cm^3 \end{array}$$

$$p_1\cdot V_1 = \frac{m_a}{M_a}R\cdot T_1 \;\rightarrow\; T_1 = \frac{p_1\cdot V_1\cdot M_a}{R\cdot m_a} = \frac{0,95\cdot 10^5\ \dfrac{N}{m^2}\cdot 5238,1\cdot 10^{-6}m^3\cdot 29\ \dfrac{g}{mol}}{8,315\ \dfrac{J}{mol\cdot K}5,375g} = 322,9\ K$$

$$p_1\cdot V_1^{\gamma} = p_2\cdot V_2^{\gamma} \;\rightarrow\; p_2 = p_1\cdot \rho^{\gamma} = 0,95\cdot 22^{1,41} = 74,22\ bar$$

$$T_1\cdot V_1^{\gamma-1} = T_2\cdot V_2^{\gamma-1} \;\rightarrow\; T_2 = T_1\cdot \rho^{\gamma-1} = 322,9\cdot 22^{0,41} = 1146,73\ K$$

El calor aportado será: $Q_1 = m_c\cdot PCI = 0,215\cdot 42000 = 9030 = \dfrac{m_a}{M_a}C_p\cdot \Delta T$

Sabiendo que:
$$\left.\begin{array}{c} C_P - C_V = R \\ \dfrac{C_P}{C_V} = \gamma \end{array}\right\} \quad \text{se obtiene } C_P = 28,6 \dfrac{J}{mol \cdot K}$$

$$\Delta T = \frac{9030\ J \cdot 29 \dfrac{g}{mol}}{28,60 \dfrac{J}{mol\cdot K} \cdot 5,375\ g} = 1703,5\ K = T_3 - T_2$$

$$T_3 = 1146,73\ K + 1703,5\ K = 2850,23\ K$$

$$\frac{T_3}{T_2} = \frac{V_3}{V_2} = \rho_0 \quad \rightarrow \quad V_3 = 238,1 \cdot \frac{2850,23}{1146,73} = 591,8\ cm^3$$

$$p_3 V_3^\gamma = p_4 V_4^\gamma \quad \rightarrow \quad p_4 = 74,22 \cdot \left(\frac{591,8}{5238,1}\right)^{1,41} = 3,42\ bar$$

$$\frac{T_4}{T_1} = \frac{p_4}{p_1} \quad \rightarrow \quad T_4 = T_1 \frac{p_4}{p_1} = 322,9 \cdot \frac{3,42}{0,95} = 1165,72\ K$$

Tabla 1.- Coordenadas de los puntos singulares del ciclo

	1	2	3	4
p (bar)	0,95	74,22	74,22	3,42
V (cm^3)	5238,1	238,1	591,8	5238,1
T (K)	322,9	1146,73	2850,22	1165,72

3.- Grado de combustión a p constante: $\qquad \rho_0 = \dfrac{V_3}{V_2} = \dfrac{591,8}{238,1} = 2,48$

Rendimiento térmico teórico: $\qquad \eta_t = 1 - \dfrac{\rho_0^\gamma - 1}{\gamma \cdot \rho^{\gamma-1} \cdot (\rho_0 - 1)} = 0,650$

Calor aportado: $\qquad Q_1 = 9030\ J$

4.- Trabajo teórico: $\quad W_t = Q_1 - Q_2 = 9030\ J - 3167,98\ J = 5862,02\ J$

Calor cedido: $\qquad Q_2 = \dfrac{m_a}{M_a} \cdot C_V \cdot (T_1 - T_4) = \dfrac{5,375\ g}{29 \dfrac{g}{mol}} \cdot 20,28 \dfrac{J}{mol\cdot K} \cdot (322,9 - 1165,7)\ K$

$$Q_2 = -3167,98\ J$$

Par motor teórico:

$$4 \cdot \pi \cdot M_t = W_t \;\rightarrow\; M_t = \frac{W_t}{4 \cdot \pi} = \frac{5862{,}02 \; J}{4 \cdot \pi} = 466{,}48 \; N{\cdot}m$$

Potencia teórica:

$$N = \frac{W_t \cdot n}{2 \cdot 60 \cdot 1000} = \frac{5862{,}02 \cdot 2000}{120000} = 97{,}70 \; kW$$

Presión media teórica:

$$W_t = V_c \cdot p_{mt} \;\rightarrow\; p_{mt} = \frac{W_t}{V_c} = \frac{5862{,}02 \; N{\cdot}m}{5{\cdot}10^{-3} \, m^3} \cdot 10^{-5} \frac{bar}{\dfrac{N}{m^2}} = 11{,}72 \; bar$$

2.- Un motor de encendido provocado de 4 tiempos, trabaja a 4500 r/min según un ciclo teórico de aire. Se conocen los siguientes datos: presión de admisión $p_1 = 0,9$ bar, temperatura al final de la admisión $T_1 = 60$ °C, cilindrada $V_c = 1600$ cm³, relación de compresión $\rho = 10$, dosado 1/20, poder calorífico inferior PCI = 42000 kJ/kg, R = 8,315 J/mol·K, $M_a = 29$ kg/kmol, $\gamma = 1,41$; $\delta_g = 0,76$ kg/l. Se pide determinar:

1. Las coordenadas p,V,T de los puntos singulares del ciclo, el grado de explosión y el rendimiento térmico.
2. Los calores aportado y cedido.
3. El trabajo, par motor y potencia desarrollada.
4. La presión media teórica.

1.- Coordenadas de los puntos singulares del ciclo y el grado de explosión:

$$\left.\begin{array}{l} V_1 - V_2 = 1600 \ cm^3 \\[2em] \dfrac{V_1}{V_2} = 10 \end{array}\right\} \rightarrow \qquad V_1 = 1777,7 \ cm^3 \qquad V_2 = 177,7 \ cm^3$$

Por otra parte,

$$p_1 \cdot V_1 = \frac{m_a}{M_a} R \cdot T_1$$

$$m_a = \frac{p_1 \cdot V_1 \cdot M_a}{R \cdot T_1} = \frac{0,9 \cdot 10^5 \ \dfrac{N}{m^2} \cdot 1777,77 \cdot 10^{-6} \ m^3 \cdot 29 \ \dfrac{g}{mol}}{8,315 \ \dfrac{J}{mol \cdot K} 333K} = 1,6756 \, g$$

$$p_1 \cdot V_1^\gamma = p_2 \cdot V_2^\gamma \quad \rightarrow \quad p_2 = p_1 \cdot \rho^\gamma = 0,9 \cdot 10^{1,41} = 23,13 \ bar$$

$$T_1 \cdot V_1^{\gamma-1} = T_2 \cdot V_2^{\gamma-1} \quad \rightarrow \quad T_2 = T_1 \cdot \rho^{\gamma-1} = 333 \cdot 10^{0,41} = 855,94 \ K$$

Masa de combustible: $\qquad F = \dfrac{m_c}{m_a} = \dfrac{1}{20} \qquad m_c = \dfrac{1,6756}{20} = 0,08378 \ g$

El calor aportado será: $\qquad Q_1 = m_c \cdot PCI = 0,08378 \ g \cdot 42000 \dfrac{J}{g} = 3518,76 \ J$

Por otra parte, se cumple: $\quad Q_1 = \dfrac{m_a}{M_a} \cdot C_V \cdot \Delta T$

Sabiendo que: $\qquad \left.\begin{array}{l} C_P - C_V = R \\[1.5em] \dfrac{C_P}{C_V} = \gamma \end{array}\right\}$ se obtiene $C_V = 20,28 \dfrac{J}{mol \cdot K}$

Por tanto,
$$\Delta T = \frac{3518{,}76 \; J \cdot 29 \frac{g}{mol}}{20{,}28 \frac{J}{mol \cdot K} \cdot 1{,}6756 \; g} = 3002{,}9 \; K = T_3 - T_2$$

$$T_3 = 3002{,}9 + 855{,}94 = 3858{,}9 \; K$$

Además, se verifica:

$$\frac{T_3}{T_2} = \frac{p_3}{p_2} \quad \rightarrow \quad p_3 = \frac{3858{,}9}{855{,}9} \cdot 23{,}13 = 104{,}27 \; bar$$

$$p_4 = p_3 \cdot (\frac{V_3}{V_4})^{\gamma} = 104{,}27 \cdot (\frac{1}{10})^{1{,}41} = 4{,}05 \; bar$$

$$\frac{T_4}{T_1} = \frac{p_4}{p_1} \quad \rightarrow \quad T_4 = 333 \cdot \frac{4{,}05}{0{,}9} = 1500{,}93 \; K$$

El grado de explosión: $\quad \mu = \dfrac{p_3}{p_2} = \dfrac{104{,}27}{23{,}13} = 4{,}50$

Tabla 2.- Coordenadas de los puntos singulares del ciclo

	1	2	3	4
p (bar)	0,9	23,13	104,27	4,05
V (cm^3)	1777,7	177,7	177,7	1777,7
T (K)	333	855,94	3858,9	1500,93

El calor cedido será:

$$Q_2 = \frac{m_a}{M_a} \cdot C_V \cdot (T_1 - T_4) = \frac{1{,}6756 \; g}{29 \frac{g}{mol}} \cdot 20{,}28 \frac{J}{mol \cdot K} \cdot (333 - 1500{,}93) \; K = -1368{,}54 \; J$$

y finalmente el rendimiento térmico: $\quad \eta_t = 1 - \dfrac{|Q_{cedido}|}{Q_{absorbido}} = 1 - \dfrac{1368{,}54}{3518{,}76} = 0{,}611$

2.- Los calores aportado y cedido obtenidos en el epígrafe anterior, son $Q_1 = 3518{,}76 \; J$ y $Q_2 = -1368{,}54 \; J$, respectivamente.

3.- Trabajo teórico: $\quad W_t = Q_1 - Q_2 = 3518{,}76 \; J - 1368{,}54 \; J = 2150{,}22 \; J$

Par motor teórico: $\quad 4 \cdot \pi \cdot M_t = W_t \quad \rightarrow \quad M_t = \dfrac{W_t}{4 \cdot \pi} = \dfrac{2150{,}22 \; J}{4 \cdot \pi} = 171{,}11 \; N \cdot m$

Potencia teórica:

$$N_t = \frac{W_t \cdot n}{2 \cdot 60 \cdot 1000} = \frac{2150,22 \cdot 4500}{120000} = 80,63 \ kW$$

4.- Presión media teórica:

$$p_{mt} = \frac{W_t}{V_c} = \frac{2150,22 \ N \cdot m}{1600 \cdot 10^{-6} \ m^3} \cdot 10^{-5} \ \frac{bar}{\frac{N}{m^2}} = 13,43 \ bar$$

3.-En el ciclo representado en la figura, determinar el rendimiento térmico teórico sabiendo que $T_2 = 4T_1$; $T_3 = 6T_1$; $T_4 = 10T_1$; $T_5 = 4T_1$; $\gamma = 1,4$.

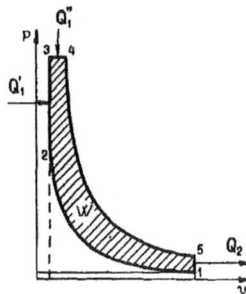

Supongamos que el número de moles n es 1.

$$Q'_1 = C_v \cdot (T_3 - T_2) = C_v \cdot (6T_1 - 4T_1) = 2C_v T_1$$

$$Q''_1 = C_p \cdot (T_4 - T_3) = C_p \cdot (10T_1 - 6T_1) = 4C_p T_1$$

$$Q_2 = C_v \cdot (T_1 - T_5) = C_v \cdot (T_1 - 4T_1) = -3C_v T_1$$

Calor absorbido o aportado $= Q'_1 + Q''_1 = 2C_v T_1 + 4C_p T_1$

Calor cedido $\quad Q_2 = -3C_v T_1$

Rendimiento térmico: $\quad \eta_t = 1 - \dfrac{|Q_{cedido}|}{Q_{absorbido}} = 1 - \dfrac{3C_v T_1}{2C_v T_1 + 4C_p T_1} = 1 - \dfrac{3}{2 + 4\gamma} = 0,607$

4.- En el ciclo representado en la figura determinar el rendimiento térmico teórico y la presión al final de la carrera de trabajo en función de p_1 sabiendo que $p_2 = 26 \cdot p_1$; $p_3 = 4 \cdot p_2$; $\gamma = 1{,}41$

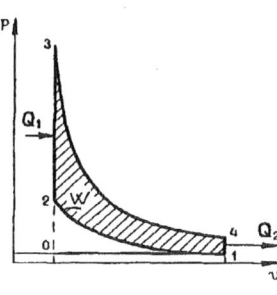

Supongamos que el número de moles n es 1

$$p_2 = p_1 \cdot \rho^{\gamma} \quad \rightarrow \quad \rho^{\gamma} = \frac{p_2}{p_1} = 26 \quad \rightarrow \quad \rho = 26^{1/1,41} = 10{,}08$$

Rendimiento térmico: $\quad \eta_t = 1 - \dfrac{1}{\rho^{\gamma-1}} = 1 - \dfrac{1}{10{,}08^{0,41}} = 0{,}612$

En la evolución 2-3: $\quad \dfrac{p_3}{p_2} = \dfrac{T_3}{T_2}$

En la evolución 4-1: $\quad \dfrac{p_4}{p_1} = \dfrac{T_4}{T_1}$

En la evolución 3-4: $\quad T_3 \cdot V_3^{\gamma-1} = T_4 \cdot V_4^{\gamma-1}$

En la evolución 1-2: $\quad T_2 \cdot V_2^{\gamma-1} = T_1 \cdot V_1^{\gamma-1}$

Como $V_4 = V_1$ y $V_3 = V_2$ $\quad \rightarrow \quad \dfrac{T_3}{T_2} = \dfrac{T_4}{T_1} = \dfrac{P_3}{P_2} = \dfrac{P_4}{P_1}$

Finalmente se obtiene la presión final de la carrera: $\quad p_4 = p_1 \dfrac{p_3}{p_2} = p_1 \dfrac{4p_2}{p_2} = 4p_1$

5.- Determinar las coordenadas de los puntos de un ciclo Otto teórico así como el rendimiento térmico, conociéndose los datos siguientes: cilindrada, V_c = 2000 cm^3, presión de admisión, p_1 = 1 bar, temperatura de admisión, T_1 = 350 K, relación de compresión, ρ = 10, dosado, F = 1/15,2, poder calorífico inferior del combustible, PCI = 42000 kJ/kg, calor específico a volumen constante de la mezcla, C_V = 720 J/kg·K y exponente adiabático, γ = 1,41.

Coordenadas del ciclo:

$$\left.\begin{array}{l} V_1 - V_2 = 2000 \text{ cm}^3 \\ \\ V_1 = 10 \cdot V_2 \end{array}\right\} \quad \rightarrow \quad 9V_2 = 2000 \ cm^3; \quad V_2 = 222{,}22 \ cm^3$$

Además:

$$p_1 \cdot V_1^{\gamma} = p_2 \cdot V_2^{\gamma} ; \qquad p_2 = p_1 \cdot \rho^{\gamma} = 1 \cdot 10^{1{,}41} = 25{,}70 \ bar$$

$$T_1 \cdot V_1^{\gamma-1} = T_2 \cdot V_2^{\gamma-1} ; \qquad T_2 = T_1 \cdot \rho^{\gamma-1} = 350 \cdot 10^{0{,}41} = 899{,}63 \ K$$

Calculamos la masa de aire a partir de: $\quad p_1 \cdot V_1 = n \cdot R \cdot T_1$

para el aire $\quad C_P - C_V = R$

$$C_P = 1{,}41 \cdot C_V = 1{,}41 \cdot 0{,}72 \ \frac{J}{g \cdot K} = 1{,}01 \ \frac{J}{g \cdot K}$$

$$R = 1{,}01 - 0{,}72 = 0{,}2952 \ \frac{J}{g \cdot K}$$

$$m_a = \frac{p_1 \cdot V_1}{R \cdot T_1} = \frac{1 \cdot 10^5 \ \dfrac{N}{m^2} \cdot 2222{,}22 \cdot 10^{-6} \ m^3}{0{,}2952 \dfrac{J}{g \cdot K} \cdot 350 \ K} = 2{,}15 \ g \ \text{de aire}$$

La cantidad de combustible por ciclo: $\quad F = \dfrac{m_c}{m_a} = \dfrac{1}{15{,}2} \quad \rightarrow \quad m_c = \dfrac{2{,}15}{15{,}2} = 0{,}1414 \ g$

El calor aportado: $\quad Q_1 = m_c \cdot PCI = 0{,}1414 \ g \cdot 42000 \dfrac{J}{g} = 5940 \ J$

T_3: $\qquad 5940 \ J = m_a \cdot C_V \cdot \Delta T = 2{,}15 \ g \cdot 0{,}72 \ \dfrac{J}{g \cdot K} \cdot \Delta T \quad \rightarrow \quad \Delta T = 3837{,}2 \ K$

$$T_3 = 899{,}63 + 3837{,}2 = 4736{,}83 \ K$$

p_3:
$$\frac{p_3}{p_2} = \frac{T_3}{T_2} \quad \rightarrow \quad \frac{p_3}{25,7} = \frac{4737,34}{859,63} \quad \rightarrow \quad p_3 = 135,53 \; bar$$

T_4:
$$T_3 \cdot V_3^{\gamma-1} = T_4 \cdot V_4^{\gamma-1} \quad \rightarrow \quad T_4 = T_3 \cdot (\frac{V_3}{V_4})^{\gamma-1} = 4737,34 \cdot \frac{1}{10^{0,41}} = 1843,03 \; K$$

p_4:
$$\frac{p_4}{p_1} = \frac{T_4}{T_1} \quad \rightarrow \quad p_4 = p_1 \frac{T_4}{T_1} = 1 \cdot \frac{1843,03}{350} = 5,26 \; bar$$

En síntesis, las coordenadas del ciclo son:

	1	2	3	4
p (*bar*)	1	25,70	135,33	5,26
V (*cm³*)	2222,22	222,22	222,22	2222,2
T (*K*)	350	899,63	4737,34	1843,03

El rendimiento térmico ciclo téorico Otto: $\quad \eta_t = 1 - \frac{1}{\rho^{\gamma-1}} = 1 - \frac{1}{10^{0,41}} = 0,61$

6.- La presión media efectiva de un motor de gasolina es de 10 bar, siendo las calorías totales introducidas de 0,6 kcal/ciclo. Con relación a su ciclo teórico, se sabe que los valores de p_1, p_2 y p_3 son, respectivamente, 1, 10 y 40 bar. Si el motor tiene 6 cilindros y gira a 3000 r/min ¿Cual es la potencia útil de este motor?

Para obtener la potencia útil, debemos obtener previamente el trabajo teórico del motor
$W_t = Q_1 \cdot \eta_t$

Supongamos n = 1 $\quad Q_1 = 0,6 \dfrac{kcal}{ciclo} \cdot \dfrac{4190\ J}{kcal} = 2514\ \dfrac{J}{ciclo}$

$$Q_1 = C_V \cdot (T_3 - T_2) = C_V \cdot \frac{p_3 V_3 - p_2 V_2}{R} = C_V \cdot \frac{p_3 V_3 - p_2 V_2}{C_P - C_V} = \frac{1}{\gamma - 1} \cdot V_2 (p_3 - p_2)$$

$$V_2 = \frac{Q_1 \cdot (\gamma - 1)}{p_3 - p_2} = \frac{2514\ N \cdot m \cdot (1,41 - 1)}{(40 - 10) \cdot 10^5 \cdot \dfrac{N}{m^2}} \cdot 10^6\ \frac{cm^3}{m^3} = 343,58\ cm^3$$

$$p_1 \cdot V_1^\gamma = p_2 \cdot V_2^\gamma \quad \rightarrow \quad V_1 = V_2 \cdot (\frac{p_2}{p_1})^{1/\gamma} = 343,58 \cdot 10^{1/1,41} = 1758,92\ cm^3$$

El volumen de cilindrada será: $V_c = V_1 - V_2 = 1758,92 - 343,58 = 1415,34\ cm^3$

El rendimiento térmico vale: $\quad \eta_t = 1 - \dfrac{1}{\rho^{\gamma-1}} = 1 - \dfrac{1}{5,12^{0,41}} = 0,488$

El trabajo teórico: $\quad W_t = Q_1 \cdot \eta_t = 2514\ J \cdot 0,488 = 1227,04\ J$

El trabajo real o efectivo: $\quad W_e = p_{me} \cdot V_c = 10 \cdot 10^5\ \dfrac{N}{m^2} \cdot 1415,34 \cdot 10^{-6}\ m^3 = 1415,34\ J$

La potencia útil o efectiva: $\quad N_e = \dfrac{W_e \cdot n}{2 \cdot 60 \cdot 1000} = \dfrac{1415,34 \cdot 3000}{120000} = 35,38\ kW = 48,07\ CV$

7.-Se tiene un motor diesel monocilíndrico en el que $p_1 = 1$ bar, el volumen de cilindrada $V_c = 1020$ cm^3 y la relación de compresión $\rho = 18$. Sabiendo que la relación de mezcla es de 22/1, que el rendimiento volumétrico = 0,75 y que el poder calorífico inferior del combustible (PCI) es 10800 kcal/kg, se pide calcular los parámetros p - V del ciclo teórico y calcular también Q_1 y Q_2.

———————

Obtenemos los parámetros del ciclo teórico,

$$\left.\begin{array}{l} V_1 - V_2 = 1020 \ cm^3 \\[3mm] \dfrac{V_1}{V_2} = 18 \end{array}\right\} \quad \rightarrow \quad V_1 = 1080 \ cm^3 \qquad V_2 = 60 \ cm^3$$

$$p_1 \cdot V_1^\gamma = p_2 \cdot V_2^\gamma \quad \rightarrow \quad p_2 = p_1 \cdot \left(\frac{V_1}{V_2}\right)^\gamma = 1 \ bar \cdot 18^{1,41} = 58,87 \ bar$$

Necesitamos calcular la masa de aire y la masa de combustible

$$\eta_v = \frac{m_a}{V_c \cdot \delta_0} \quad \text{dado que } \delta_0 = 1,293 \ g/l \ \text{ a 0 ºC y 1 bar , se obtiene}$$

$$m_a = 1,020 \ l \cdot 1,293 \frac{g}{l} \cdot 0,75 = 1,1637 \ g \ \text{de aire por ciclo}$$

La masa de combustible por ciclo $\quad \dfrac{m_c}{m_a} = \dfrac{1}{22} \quad \rightarrow \quad m_c = \dfrac{1,1637}{22} = 0,0589 \, g$

$$Q_1 = m_c \cdot PCI = 0,0589 g \cdot 10800 \frac{cal}{g} \cdot 4,18 \frac{J}{cal} = 2665,34 \ J$$

$$Q_1 = n \cdot C_p \cdot (T_3 - T_2) = n \cdot C_p \cdot \left(\frac{p_3 V_3 - p_2 V_2}{R \cdot n}\right) = \frac{C_P}{C_P - C_V} p_2 \cdot (V_3 - V_2) = \frac{\gamma}{\gamma - 1} p_2 \cdot (V_3 - V_2)$$

$$V_3 = V_2 + \frac{Q_1 \cdot (\gamma - 1)}{\gamma \cdot p_2} = 60 \ cm^3 + \frac{2665,34 \cdot 0,41 \ N \cdot m}{1,41 \cdot 58,87 \cdot 10^5 \ \frac{N}{m^2}} \cdot 10^6 \frac{cm^3}{m^3} = 191,65 \ cm^3$$

$$p_3 \cdot V_3^\gamma = p_4 \cdot V_4^\gamma \quad \rightarrow \quad p_4 = p_3 \cdot \left(\frac{V_3}{V_4}\right)^\gamma = p_2 \cdot \left(\frac{V_3}{V_1}\right)^\gamma = 58,87 \cdot \left(\frac{191,65}{1080}\right)^{1,41} = 5,14 \ bar$$

El calor cedido $\quad Q_{41} = n \cdot C_V \cdot (T_1 - T_4)$

$$Q_{41} = \frac{C_v}{C_p - C_v} \cdot V_1 \cdot (p_1 - p_4) = \frac{1}{\gamma - 1} \cdot 1080 \cdot 10^{-6} m^3 \cdot (1 - 5,14) \cdot 10^5 \frac{N}{m^2} = -1090,53 \ J$$

Finalmente el rendimiento térmico será: $\quad \eta_t = 1 - \dfrac{|Q_{cedido}|}{Q_{absorbido}} = 1 - \dfrac{1090,53}{2265,34} = 0,59$

8. Una mol de un gas perfecto realiza las siguientes evoluciones reversibles hasta cerrar un ciclo:

　　0-1: Expansión a presión constante, de modo que $V_1 = \rho \cdot V_0$.
　　1-2: Compresión politrópica de primer grupo con coeficiente de politropismo n_1.
　　2-3: Aumento de presión a volumen constante, $p_3 = k \cdot p_2$
　　3-4: Expansión politrópica de segundo grupo con n_2.
　　4-1: Evolución a volumen constante.
　　1-0: Compresión cerrando el ciclo.

Se pide:
　　1.- Dibujar razonadamente el ciclo en el diagrama pV.
　　2.- Calcular las coordenadas de los puntos singulares del ciclo.
　　3.- Calcular el trabajo y el rendimiento del ciclo.

1.-

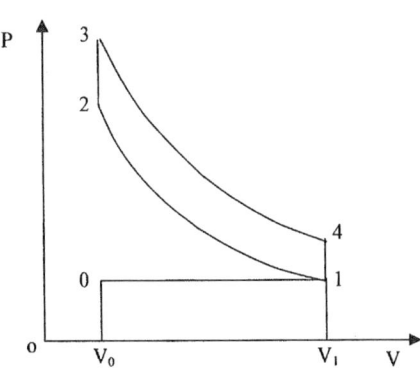

2. - Determinaremos las coordenadas de los puntos singulares del ciclo:

$$p_1 \cdot V_1^{n_1} = p_2 \cdot V_2^{n_2} = p_2 \cdot V_0^{1,35} \qquad T_1 = T_0 \cdot \frac{V_1}{V_0} = \rho \cdot T_0$$

$$p_2 = p_1 \cdot \left(\frac{V_1}{V_o}\right)^{n_1} = p_0 \cdot \rho^{n_1} \qquad T_2 = T_0 \cdot \frac{p_2}{p_0} = T_0 \cdot \rho^{n_1} \quad \rightarrow \quad V_2 = V_0$$

$$p_3 = k \cdot p_2 = k \cdot \rho^{n_1} \cdot p_0 \qquad\qquad T_3 = k \cdot T_2 = k \cdot \rho^{n_1} \cdot T_0$$

$$\frac{p_3 \cdot V_3}{T_3} = \frac{p_4 \cdot V_4}{T_4} \qquad\qquad V_3 = V_0 \qquad\qquad V_4 = V_1 = \rho \cdot V_0$$

$$p_3 \cdot V_3{}^{n}_2 = p_4 \cdot V_4{}^{n2} \quad p_3 \cdot V_0{}^{n2} = p_4 \cdot V_1{}^{n2} = p_4 \cdot (\rho \cdot V_0)^{n2} \quad k \cdot \rho^{n_1} \cdot p_0 \cdot V_0{}^{n2} = p_4 \cdot (\rho \cdot V_0)^{n2}$$

$$k \cdot r^{n1-n2} \cdot p_0 = p_4 \qquad\qquad \frac{p_1 \cdot V_1}{T_1} = \frac{p_4 \cdot V_4}{T_4} = \frac{p_0 \cdot V_0}{T_0} \qquad T_4 = k \cdot \rho^{n1-n2+1} \cdot T_0$$

Tabla 3.- Coordenadas de los puntos singualres del ciclo

	0	1	2	3	4
p	p_0	p_0	$\rho^{n1} \cdot p_0$	$k \cdot \rho^{n1} \cdot p_0$	$k \cdot \rho^{n1-n2} \cdot p_0$
V	V_0	$\rho \cdot V_0$	V_0	V_0	$r \cdot V_0$
T	T_0	$\rho \cdot T_0$	$\rho^{n1} \cdot T_0$	$k \cdot \rho^{n1} \cdot T_0$	$k \cdot \rho^{n1-n2+1} \cdot T_0$

3.- El trabajo del ciclo

$$W_{ciclo} = Q_{ciclo} = Q_{12} + Q_{23} + Q_{34} + Q_{41}$$

$$Q_{12} = C_{n_1} \cdot (T_2 - T_1) = C_v \frac{n_1 - \gamma}{n_1 - 1} \cdot (\rho^{n_1} \cdot T_0 - \rho \cdot T_0) = C_v \frac{n_1 - \gamma}{n_1 - 1} \cdot (\rho^{n_1} - 1) \cdot T_0$$

$$Q_{23} = C_v \cdot (T_3 - T_2) = C_v \cdot (k \cdot \rho^{n_1} \cdot T_0 - \rho^{n_1} \cdot T_0) = C_v \cdot (k-1) \cdot \rho^{n_1} \cdot T_0$$

$$Q_{34} = C_{n_{21}} \cdot (T_4 - T_3) = C_v \frac{n_2 - \gamma}{n_2 - 1} \cdot (k \cdot \rho^{n_1 - n_2 + 1} \cdot T_0 - k \cdot \rho^{n_1} \cdot T_0) = C_v \cdot \frac{n_2 - \gamma}{n_2 - 1} \cdot (k \cdot \rho^{n_1 - n_2 + 1} - k \cdot \rho^{n_1}) \cdot T_0$$

$$Q_{41} = C_v \cdot (T_1 - T_4) = C_v \cdot (\rho \cdot T_0 - k \cdot \rho^{n_1 + n_2 + 1} \cdot T_0) = C_v \cdot (1 - \rho^{n_1 + n_2}) \cdot \rho \cdot T_0$$

Finalmente,

$$W_{ciclo} = C_V \left[\frac{n_1 - \gamma}{n_1 - 1} (\rho^{n_1} - 1) + (k-1) \cdot \rho^{n_1} + \frac{n_2 - \gamma}{n_2 - 1} \cdot (k\rho^{n_1 - n_2 + 1} - k\rho^{n_1}) + (1 - \rho^{n_1 + n_2})\rho \right] \cdot T_0$$

2

CICLOS REALES
DE LOS MOTORES
DE COMBUSTIÓN
INTERNA

Introducción.

Los ciclos teóricos de los motores de combustión interna (conocidos como ya hemos señalado MCI), hasta ahora estudiados, son muy útiles para mejorar estos motores pero también y, sobre todo, lo son los ciclos reales. Los primeros, los teóricos, son sólo una aproximación lo más cercana posible a lo que ocurre en un motor de verdad. Los segundos, los reales, son los que reflejan fielmente lo que ocurre en el motor de verdad.

La diferencia entre ambos es que en la realidad las evoluciones son politrópicas ya que el adiabatismo es imposible de conseguir en la realidad; debido a que hay pérdidas de calor que lo impiden. Así, las compresiones y expansiones teóricamente adiabáticas, de los ciclos teóricos de los motores de combustión interna son realmente evoluciones politrópicas de primer o de segundo grupo. Igualmente las compresiones y expansiones teóricamente isobáricas no lo son en la realidad.

Los motores térmicos de combustión interna presentan dos tipos de ciclos reales:

1.- Los de cuatro tiempos, pueden ser el ciclo Otto o el ciclo Diesel.

2.- Los de dos tiempos.

En este capítulo nos ocuparemos de los ciclos reales de los motores de combustión interna de cuatro tiempos. En un capítulo posterior, el capítulo 3, nos ocuparemos de los motores de dos tiempos y de los ciclos de esos motores.

Ejercicios resueltos.

1.-La presión de admisión de un motor es 950 mbar y la ambiental 1000 mbar. Se desea conocer como afectan las temperaturas de invierno y verano al rendimiento volumétrico si las presiones antes citadas no se modifican. En invierno consideramos una temperatura ambiente de 0 °C y 80 °C la del aire en la admisión, mientras que en verano la temperatura del ambiente es 40 °C y la del aire de admisión 90 °C.

El rendimiento volumétrico es: $\quad \eta_v = \dfrac{m_a}{V_c \cdot \delta_0} = \dfrac{V_c \cdot \delta_i}{V_c \cdot \delta_0}$

donde δ_i es la densidad del aire en el interior del cilindro

δ_0 es la densidad del aire en el exterior del cilindro

Interior

$$p_a \cdot V_c = \frac{m_a}{M_a} \cdot R \cdot T_a$$

$$\delta_i = \frac{m_a}{V_c} = \frac{p_a \cdot M_a}{R \cdot T_a}$$

Exterior

$$p_0 \cdot V_c = \frac{m_0}{M_a} \cdot R \cdot T_0$$

$$\delta_0 = \frac{m_0}{V_c} = \frac{p_0 \cdot M_a}{R \cdot T_0}$$

$\rightarrow \quad \eta_v = \dfrac{p_a \cdot T_0}{p_0 \cdot T_a}$

En invierno: $\quad T_0 = 273 + 0 = 273 \ K$
$\qquad\qquad\quad T_a = 273 + 80 = 353 \ K$

En verano: $\quad T_0 = 273 + 40 = 313 \ K$
$\qquad\qquad\quad T_a = 273 + 90 = 363 \ K$

Luego los rendimientos volumétricos en invierno y verano serán:

$$\eta_{invierno} = \frac{950}{1000} \cdot \frac{273}{353} = 0,734 \qquad \eta_{verano} = \frac{950}{1000} \cdot \frac{313}{363} = 0,819$$

2.-Un motor atmosférico trabaja en una zona cuya presión ambiental es 1000 mbar y posteriormente en otra de 900 mbar. Si en ambos casos la temperatura ambiente y la de admisión permanecen constantes, se pide determinar como afecta el cambio de presión atmosférica al rendimiento volumétrico, teniendo en cuenta que la diferencia de presiones entre la del ambiente y la de admisión es 60 mbar.

Tal como se obtuvo anteriormente, el rendimiento volumétrico: $\eta_v = \dfrac{p_a \cdot T_0}{p_0 \cdot T_a}$

Zona 1 $p_0 = 1000\ mbar$
$p_a = (1000 - 60)\ mbar = 940\ mbar$

luego el rendimiento volumétrico en la Zona 1 (η_{v1}) será:

$$\eta_{v1} = \frac{940}{1000} \cdot \frac{T_0}{T_a} = 0,94 \cdot \frac{T_0}{T_a}$$

Zona 2 $p_0 = 900\ mbar$
$p_a = (900 - 60)\ mbar = 840\ mbar$

$$\eta_{v2} = \frac{840}{900} \cdot \frac{T_0}{T_a} = 0,93 \cdot \frac{T_0}{T_a}$$

De donde,

$$\frac{\eta_{v1}}{\eta_{v2}} = \frac{0,94}{0,93} = 1,007$$

Por tanto, el cambio de presión apenas ha afectado al rendimiento volumétrico

3.- En un motor monocilíndrico de encendido provocado, se sabe que a un determinado régimen proporciona un par motor efectivo de 100 N·m. Si el consumo específico vale 350 gr/kW·h, el rendimiento volumétrico 0,75, el dosado 0,07 y la densidad del aire 1,2 kg/m^3. Se pide determinar su cilindrada.

El par motor efectivo: $M_e = \dfrac{W_e}{4 \cdot \pi}$ → $W_e = M_e \cdot 4\pi$ $W_e = 100\,N \cdot m \cdot 4\pi = 1256,6\,J$

$$\left. \begin{array}{c} \eta_e = \dfrac{36 \cdot 10^5}{C_e \cdot PCI} \\[3mm] \\ W_e = m_c \cdot PCI \cdot \eta_e \end{array} \right\} \quad \rightarrow \quad W_e = m_c \cdot PCI \cdot \dfrac{36 \cdot 10^5}{C_e \cdot PCI}$$

Por tanto, la masa de combustible será, $\quad m_c = \dfrac{W_e \cdot C_e}{36 \cdot 10^5} = \dfrac{1256,6 \cdot 350}{36 \cdot 10^5} = 0,122\,\dfrac{g_c}{ciclo}$

Además, $\quad m_a = \dfrac{m_c}{F} = \dfrac{0,122}{0,07} = 1,745\,\dfrac{g_a}{ciclo}$

Finalmente, el volumen de cilindrada:

$$\eta_v = \dfrac{m_a}{V_c \cdot \delta_0} = \dfrac{1,745\,\dfrac{g}{}}{V_c \cdot 1,2\,\dfrac{g}{l}} = 0,75 \quad \rightarrow \quad V_c = 1,939\,l = 1939\,cm^3$$

4.- En un banco de ensayos se obtuvo de un motor Diesel, de cuatro tiempos y seis cilindros, funcionando a 2000 r/min, un caudal de aire de $V_a = 0,145$ m³/s, valor determinado con un medidor de caudal, siendo la densidad del aire en el caudalímetro de 1,04 kg/m³. El motor tiene una cilindrada unitaria de 1750 cm³ y las condiciones ambientales de la sala en donde se realizó el ensayo eran de 27 °C y 0,92 bar. Se pide determinar el rendimiento volumétrico y el rendimiento volumétrico referido a las condiciones normales (20 °C y 1 bar). ¿Se modificaría el rendimiento volumétrico al eliminar el filtro del aire? (densidad de aire en el exterior, $\delta_0 = 1,293$ kg/m³ a 0 °C y 1 bar).

_____

Masa real del aire: $\quad m_a = V_a \cdot \delta_a = 0,145 \dfrac{m^3}{s} \cdot 1,04 \dfrac{kg}{m^3} \cdot \dfrac{60s}{1\min} = 9,04 \dfrac{kg}{\min}$

Densidad del aire en el exterior δ_0:

$$p_0 \cdot V_c = \frac{m_a}{M_a} R \cdot T_0 \quad \rightarrow \quad \delta_0 = \frac{p_0 \cdot M_a}{R \cdot T_0}$$

$$\delta_0 = \frac{0,92 \cdot 10^5 \dfrac{N}{m^2} \cdot 29 \dfrac{kg}{kmol}}{8315 \dfrac{J}{kmol \cdot K} \cdot (273 + 27)K} = 1,06 \dfrac{kg}{m^3}$$

Por otro lado, el rendimiento volumétrico se define como

$$\eta_v = \frac{\overset{\bullet}{m}_{ar}}{\overset{\bullet}{m}_{at}} = \frac{\overset{\bullet}{m}_{ar}}{V_c \cdot \dfrac{n}{2} \cdot \delta_0}\text{, siendo } \overset{\bullet}{m}_{ar} \text{ y } \overset{\bullet}{m}_{at} \text{ la masa real de aire por unidad de tiempo y}$$

masa teórica de aire por unidad de tiempo respectivamente.

Por tanto,

$$\eta_v = \frac{9,04 \dfrac{kg}{\min}}{1750 \dfrac{cm^3}{cilindro \cdot ciclo} \cdot 6\ cilindros \cdot 10^{-6} \dfrac{m^3}{cm^3} \cdot \dfrac{2000}{2} \dfrac{ciclo}{\min} \cdot 1,06 \dfrac{kg}{m^3}} = \frac{9,04}{11,13} = 0,811$$

Por otra parte,

$$\eta_{v_1} = \frac{m_c}{V_c \cdot \dfrac{n}{2} \cdot \delta_{01}} \qquad\qquad \eta_{v_2} = \frac{m_c}{V_c \cdot \dfrac{n}{2} \cdot \delta_{02}}$$

$$\delta_{01} = \frac{p_{01} \cdot M_a}{R \cdot T_{01}} \qquad\qquad \delta_{02} = \frac{p_{02} \cdot M_a}{R \cdot T_{02}}$$

$$\frac{\delta_{01}}{\delta_{02}} = \frac{\dfrac{p_{01}}{T_{01}}}{\dfrac{p_{02}}{T_{02}}} = \frac{p_{01} \cdot T_{02}}{p_{02} \cdot T_{01}} = \frac{0,92 \cdot 293}{1 \cdot 300} = 0,8985$$

$$\frac{\eta_{v_1}}{\eta_{v_2}} = \frac{\delta_{02}}{\delta_{01}} = \frac{1}{0,8985} \qquad\qquad \eta_{v_2} = \eta_{v_1} \cdot 0,8985 = 0,7297$$

El rendimiento volumétrico aumenta cuando se elimina el filtro del aire al reducirse las pérdidas de presión por fricción del aire en la admisión.

5.-Un motor diesel de 4 tiempos de 5000 cm^3 de cilindrada desarrolla una potencia efectiva de 60 kW a 1900 r/min consumiendo un caudal de aire de 4,25 kg/min y una cantidad de combustible de 135 cm^3 en 30 s. Si el rendimiento indicado es la mitad del mecánico, la densidad del aire en el exterior 1,12 kg/m^3 y PCI = 42000 kJ/kg, se pide calcular:

1. Los rendimientos volumétrico, indicado y mecánico (δg = densidad del gasoil, δg = 0,84 kg/l)
2. El dosado.
3. La presión media debida a las pérdidas mecánicas.

_____

1.- Masa de aire por ciclo: $m_a = 4,25 \dfrac{kg}{min} \cdot \dfrac{1 min}{\dfrac{1900}{2} ciclos} \cdot 1000 \dfrac{g}{kg} = 4,47 \dfrac{g_a}{ciclo}$

Rendimiento volumétrico: $\eta_v = \dfrac{m_a}{V_c \cdot \delta_0} = \dfrac{4,47 \dfrac{g_a}{ciclo}}{5 \dfrac{l}{ciclo} \cdot 1,12 \dfrac{g}{l}} = 0,8$

Rendimientos indicado y mecánico: $\eta_i = \dfrac{\eta_m}{2}$; $\eta_e = \eta_i \cdot \eta_m \rightarrow \eta_e = \dfrac{\eta_m}{2} \cdot \eta_m \rightarrow \eta_m = \sqrt{2 \cdot \eta_e}$

Rendimiento efectivo: $\eta_e = \dfrac{W_e}{Q_1}$

$$W_e = \dfrac{N_e \cdot 2 \cdot 60 \cdot 1000}{n} = \dfrac{60 \cdot 120000}{1900} = 3789,4 \ J$$

$Q_1 = m_c \cdot PCI$ luego, previamente obtenemos la masa de combustible por ciclo,

Consumo horario: $C_h = \dfrac{135 \ cm^3}{30 \ s} \cdot 3600 \dfrac{s}{h} \cdot \dfrac{1}{1000} \dfrac{l}{cm^3} = 16,2 \dfrac{l}{h} \cdot 0,84 \dfrac{kg}{l} = 13,6 \dfrac{kg}{h}$

$$m_c = 13,6 \dfrac{kg}{h} \cdot \dfrac{1}{60} \dfrac{h}{min} \cdot \dfrac{1 min}{\dfrac{1900}{2} ciclos} = 0,000238 \dfrac{kg}{ciclo}$$

$Q_1 = m_c \cdot PCI = 0,000238 \ kg \cdot 42000 \dfrac{kJ}{kg} = 9,996 \ kJ$

Por tanto $\eta_e = \dfrac{3789,4}{9996} = 0,379$, y los rendimientos indicado y mecánico:

$$\eta_m = \sqrt{2 \cdot \eta_e} = \sqrt{2 \cdot 0,379} = 0,871 \quad \rightarrow \quad \eta_i = \dfrac{0,871}{2} = 0,435$$

2.- Dosado: $F = \dfrac{\dot{m}_c}{\dot{m}_a} = \dfrac{13,6 \cdot \dfrac{kg}{h} \cdot \dfrac{1}{60} \dfrac{h}{min}}{4,25 \cdot \dfrac{kg}{min}} = \dfrac{1}{18,75}$

3.- La presión media debida a pérdidas mecánicas: $p_{mpm} = p_{mi} - p_{me}$

$$p_{me} = \dfrac{W_e}{V_c} \quad \rightarrow \quad p_{me} = \dfrac{3789,4 \ N \cdot m}{5000 \cdot 10^{-6} \ m^3} \cdot \dfrac{1 \ bar}{10^5 \ \dfrac{N}{m^2}} = 7,57 \ bar$$

$$p_{mpm} = \dfrac{W_{pm}}{V_c}$$

$$\eta_m = \dfrac{W_e}{W_e + W_{pm}} \quad \rightarrow \quad \eta_{pm} = \dfrac{p_{me} \cdot V_c}{p_{me} \cdot V_c + p_{mpm} \cdot V_c} = \dfrac{p_{me}}{p_{me} + p_{mpm}}$$

$$0,871 = \dfrac{7,57}{7,57 + p_{mpm}} \quad \rightarrow \quad p_{mpm} = 1,12 \ bar$$

6.- Un automóvil tiene un motor diesel de 4 cilindros y potencia de 65 kW a 4000 r/min, que consume 250 g/kW·h de gasoil. La válvula de admisión abre 19° antes del PMS y cierra 25° después del PMI. La válvula de escape abre 28° antes del PMI y cierra 16° después del PMS. Se pide:

    1. Diagrama circular de dicho motor.
    2. Tiempo de apertura de las válvulas de admisión y escape.
    3. Tiempo que las válvulas de admisión y escape permanecen abiertas y cerradas conjuntamente.
    4. Cantidad total de combustible inyectado por cada ciclo completo (dos vueltas de cigüeñal). Cantidad inyectada en cada cilindro.

1.- El diagrama circular estará constituido por dos círculos que representan las dos rotaciones del cigüeñal en cada ciclo completo. Los momentos de apertura y cierre de las válvulas se pueden representar en estos círculos mediante unidades angulares.

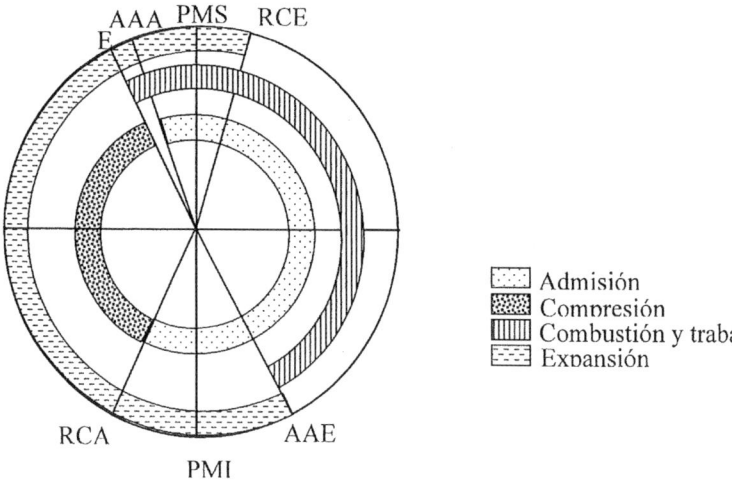

Las válvulas abren y cierran:

AAA: adelanto apertura de admisión: 19°
RCA: retraso cierre de admisión: 25°
AAE: adelanto apertura de escape: 28°
RCE: retraso cierre escape: 16°

2.- Para calcular el tiempo de apertura de válvulas, calculamos los ángulos de apertura y cierre de las válvulas;

Ángulo admisión permanece abierta: $\quad \beta_{AA} = 180 + 19 + 25 = 224°$
Ángulo admisión permanece cerrada: $\quad \beta_{CA} = 360 + 360 - \beta_{AA} = 496°$
Ángulo escape permanece abierto: $\quad \beta_{AE} = 180 + 28 + 16 = 224°$
Ángulo escape permanece cerrado: $\quad \beta_{CE} = 360 + 360 - \beta_{AE} = 496°$

El motor gira a 4000 $\dfrac{r}{min}$, por lo que en 60 segundos, ha girado una vuelta de cigüeñal, es decir 4000·360°. Relacionando el ángulo de apertura de las válvulas con el giro del motor, podemos poner;

$$\frac{t_{AA}}{60s} = \frac{\beta_{AA}}{4000 \cdot 360°} \quad \rightarrow \quad t_{AA} = \frac{\beta_{AA} \cdot 60s}{4000 \cdot 360°} \qquad t_{AA} = 0,0093 \text{ s} = t_{AE}$$

3.- Para calcular el tiempo que las válvulas de admisión y escape permanecen conjuntamente abiertas y cerradas, calculamos los ángulos en que están ambas abiertas y cerradas a la vez;

Apertura de válvulas de admisión y escape simultáneamente,

$$\theta_{AAE} = 19 + 16 = 35°$$

Cierre de válvulas de admisión y escape simultáneamente,

$$\theta_{CAE} = 180 - 28 + 180 - 25 = 207°$$

Para calcular el tiempo en que permanecen conjuntamente abiertas las válvulas, relacionando el ángulo de apertura de las válvulas con el giro del motor;

$$\frac{t_{AAE}}{60s} = \frac{\theta_{AAE}}{4000 \cdot 360°} \quad \rightarrow \quad t_{AAE} = \frac{\theta_{AAE} \cdot 60s}{4000 \cdot 360°} \quad \rightarrow \quad t_{AAE} = 0,00146 \text{ s}$$

Para calcular el tiempo en que permanecen conjuntamente cerradas las válvulas, relacionando el ángulo de apertura de las válvulas con el giro del motor;

$$\frac{t_{CAE}}{60s} = \frac{\theta_{CAE}}{4000 \cdot 360°} \quad \rightarrow \quad t_{CAE} = \frac{\theta_{CAE} \cdot 60s}{4000 \cdot 360°} \quad \rightarrow \quad t_{CAE} = 0,0086 \text{ s}$$

4.- Cantidad de combustible inyectado por cada dos vueltas de cigüeñal

Obtenemos el combustible inyectado en cada vuelta (C_i)

$$C_i = \frac{C_e \cdot N_e}{r}\text{, siendo r: número de revoluciones del motor}$$

$$C_i = \cfrac{250\,\cfrac{g}{kW \cdot h} \cdot 65kW}{4000\,\cfrac{r}{min} \cdot 60\,\cfrac{min}{h}} = 0,068\,\frac{g}{r} \quad ; \quad C_i = 0,068\,\frac{g}{r} \cdot 2\,\frac{r}{ciclo} = 0,135\,\frac{g}{ciclo}$$

Para la cantidad de combustible inyectado en cada cilindro por cada ciclo, consideramos que cada ciclo supone cuatro carreras en los cilindros, y al tener cuatro cilindros, tenemos cuatro inyecciones de combustible;

$$C_i\,(cilindro) = \frac{0,135}{4} = 0,034\,\frac{g}{ciclo} \quad \text{en cada cilindro}$$

3

MOTORES DE DOS TIEMPOS

Introducción.

Los motores de dos tiempos son utilizados en algunas máquinas forestales, agrícolas y de jardinería como son la motosierra, las desbrozadotas colgadas, los cortasetos y algunos cortacéspedes que trabajan en zonas de pendiente.

También son empleados a veces en algunos vehículos de dos ruedas como ciertas motocicletas de pequeña cilindrada, si bien eso era en tiempos pasados, más que en la actualidad.

El motor de dos tiempos presenta la característica de su robustez y alto grado de evolución, como el de cuatro tiempos y se adapta perfectamente para ser empleado con carburadores de membrana (también llamados antiguamente carburadores de aviación pues se montaban en los motores de los aviones antiguos). El uso de estos carburadores permite a las máquinas que los emplean que puedan ser inclinadas, incluso con el motor trabajando hacia abajo.

En este capítulo se hace especial hincapié en el barrido de los gases de escape de los motores de dos tiempos.

Ejercicios resueltos

1. Un MEP monocilíndrico de 2T tiene una cilindrada de 60 cm³ con una relación carrera diámetro S/D = 1. La relación de compresión real ρ_r = 8,5. Dicho motor desarrolla un ciclo teórico de aire según la figura. El escape (Punto 4) abre cuando el pistón ha recorrido las 2/3 partes de su carrera y la admisión (Punto 5) lo hace cuando el pistón ha recorrido las ¾ partes de la misma. Sabiendo que:

      Dosado F= 1/16,5
      Presión de admisión p_4 = p_5 = 1,1 bar
      Temperatura al inicio de la compresión real T_1= 50 °C
      Velocidad del motor n = 5000 r/ min
      Rendimiento efectivo η_e = 0,3
      PCI = 42500 kJ/kg
      γ= 1,41   R= 8,315 J/mol.K M_a= 29 g/mol

Determinar:

      1.- Las coordenadas de los puntos del ciclo teniendo en cuenta que la transformación 4-5 es politrópica.
      2.- Rendimiento térmico teórico, potencia efectiva y relación de compresión teórica.

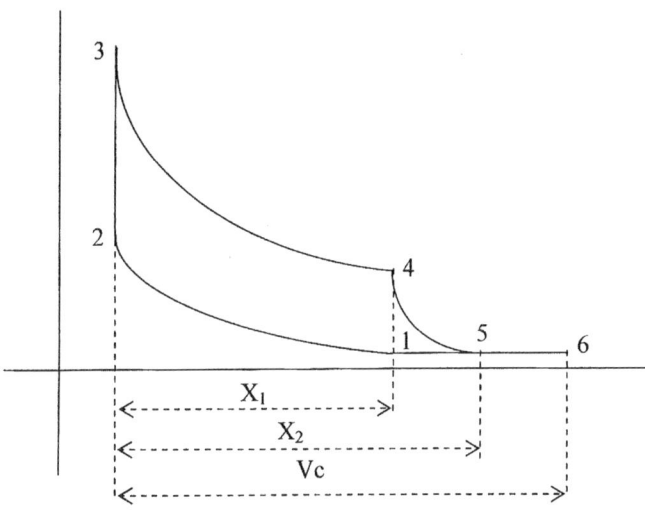

1. Las coordenadas de los puntos del ciclo

Cilindrada $V_c = V_6 - V_2 = 60\ cm^3$ → $60 = \dfrac{\pi \cdot D^2}{4} \cdot s$ como $s = D$ tenemos

$s = D = \sqrt[3]{\dfrac{4 \cdot 60}{\pi}} = 4,24\ cm$ →   La sección del pistón es: $A_p = \dfrac{\pi \cdot 4,24^2}{4} = 14,12\ cm^2$

La relación de compresión real $\rho_r = \dfrac{V_1}{V_2}$

$V_1 = A_p \cdot X_1 + V_2$, siendo X_1 el recorrido del pistón hasta la apertura de la válvula de escape

$X_1 = \dfrac{2}{3} \cdot S = \dfrac{2}{3} \cdot 4,24 = 2,827 cm$; $V_1 = 39,92 + V_2$ como $\rho_r = \dfrac{V_1}{V_2} = 8,5$

$V_1 = V_4 = 45,23\ cm^2$

$V_5 = A_p \cdot X_2 + V_2$; $V_5 = 14,12 \cdot \dfrac{3}{4} \cdot 4,24 + 5,43 = 50,33\ cm^3$

$V_6 = V_c + V_2 = 65,43\ cm^3$

Número de moles de aire que evolucionan en el ciclo

$$n_a = \dfrac{p_1 \cdot V_1}{R \cdot T_1} = \dfrac{1,1 \cdot 10^5 \dfrac{N}{m^2} \cdot 45,23 \cdot 10^{-6} m^3}{8,315 \dfrac{J}{mol \cdot K} \cdot (273+50)K} = 1.85 \cdot 10^{-3} mol$$

Masa de aire: $m_a = 1,85 \cdot 10^{-3} mol \cdot 29 \dfrac{g}{mol} = 5,37 \cdot 10^{-2} g_{aire}$

p_2: $p_2 = p_1 \rho_r^\gamma = 1,1 \cdot 8,5^{1,41} = 22,48\ bar$

T_2: $T_2 = T_1 \cdot \rho_r^{\gamma-1} = 323 \cdot 8,5^{0,41} = 776,72\ K$

Calor aportado:

$$Q_1 = n_a \cdot c_V \cdot (T_3 - T_2) = m_C \cdot PCI = m_a \cdot F \cdot PCI = 5,37 \cdot 10^{-2} g_a \cdot \dfrac{1\ g_c}{16,5\ g_a} \cdot 42500 \dfrac{J}{g_c} = 138,32\ J$$

$138,32\ J = 1,85 \cdot 10^{-3} mol \cdot 20,28 \dfrac{J}{mol \cdot K} \cdot (T_3 - 776,72)\ K$ → $T_3 = 4463,48\ K$

p_3: $\dfrac{p_3}{p_2} = \dfrac{T_3}{T_2}$; $p_3 = 129,18\ bar$

p_4: $p_4 \cdot V_4^\gamma = p_3 V_3^\gamma$ $p_4 = 129,18 \cdot \left(\dfrac{5,32}{45,23}\right)^{1,41} = 6,32\ bar$

T_4: $T_4 = 4463,48 \cdot \left(\dfrac{5,32}{45,23}\right)^{0,41} = 1855,97 K$

Politrópica 4-5: $p_4 \cdot V_4^n = p_5 \cdot V_5^n$; $6,32 \cdot 45,23^n = 1,1 \cdot 50,33^n$ → $n = \dfrac{\ln 5,75}{\ln 1,09} = 20,3$

Calor cedido 4-5: $Q_{4-5} = n_a \cdot C_V \cdot \dfrac{n - \gamma}{n - 1}(T_5 - T_4)$

$Q_{4-5} = 1{,}85 \cdot 10^{-3}\, mol \cdot 20{,}28\, \dfrac{J}{mol \cdot K} \cdot \dfrac{20{,}3 - 1{,}41}{20{,}3 - 1} \cdot (324{,}94 - 1855{,}97)\ K = -56{,}22\ J$

Calor cedido 5 – 1: $Q_{4-5} = n_a \cdot c_p \cdot (T_1 - T_5)$

$Q_{4-5} = 1{,}85 \cdot 10^{-3}\, mol \cdot 28{,}59\, \dfrac{J}{mol \cdot K} \cdot (323 - 324{,}94) = -0{,}1\ J$

Calor total cedido: $Q_2 = -56{,}32\ J$

Rendimiento térmico teórico del ciclo: $\eta_t = \dfrac{138{,}32 - 56{,}32}{138{,}32} = 0{,}593$

Trabajo teórico: $W_t = 138{,}32 \cdot 0{,}593 = 82\ J$

Potencia efectiva: $N_e = \dfrac{82 \cdot 5000}{60 \cdot 1000} \cdot 0{,}3 = 2{,}05\ kW$

Relación de compresión teórica: $\rho_t = \dfrac{V_6}{V_2} = \dfrac{65{,}32}{5{,}32} = 12{,}28$

2. Una máquina forestal incorpora un MEP de dos tiempos monocilíndrico de 150 cm^3 que gira a 3000 r/min. Teniendo en cuenta las siguientes características de funcionamiento:

Relación de compresión teórica $\rho_t = 9$
Coeficiente de carga $\eta_s = 0,68$
Coeficiente de admisión $R_s = 0,85$
Dosado F = 1/14
Temperatura de admisión $T_a = 27$ °C
Presión en el escape $p_e = 1,1$ bar
PCI = 42000 J/g

Se pide calcular la potencia efectiva y la debida al cortocircuito.

Coeficiente de carga: $\eta_s = \dfrac{\overset{\bullet}{m}_{ret}\ \dfrac{kg}{s}}{\dfrac{n}{60}\dfrac{ciclos}{s}\cdot\delta_{ae}\dfrac{kg}{m^3}\cdot\dfrac{\rho_t}{\rho_t-1}\cdot V_C\cdot 10^{-6}\dfrac{m^3}{ciclo}}$

$$\delta_{ae} = \delta_0\cdot\frac{T_o}{T_a}\cdot\frac{P_e}{P_o} = 1,293\cdot\frac{273}{300}\cdot\frac{1,1}{1} = 1,294\ \frac{kg}{m^3}$$

$$\overset{\bullet}{m}_{ret} = 0,68\cdot\frac{3000}{60}\cdot 1,294\cdot\frac{9}{9-1}\cdot 150\cdot 10^{-6} = 7,424\cdot 10^{-3}\ \frac{kg}{s}$$

Coeficiente de admisión: $R_s = \dfrac{\overset{\bullet}{m}_{sum}\ \dfrac{kg}{s}}{\dfrac{n}{60}\dfrac{ciclos}{s}\cdot\delta_{ae}\dfrac{kg}{m^3}\cdot\dfrac{\rho_t}{\rho_t-1}\cdot V_C\cdot 10^{-6}\dfrac{m^3}{ciclo}}$

Rendimiento de retención: $\eta_{ret} = \dfrac{\overset{\bullet}{m}_{ret}}{\overset{\bullet}{m}_{sum}} = \dfrac{\eta_s}{R_S} = \dfrac{0,68}{0,85} = 0,8$

Flujo de masa suministrada: $\overset{\bullet}{m}_{sum} = \dfrac{7,424\cdot 10^{-3}}{0,8} = 9,28\cdot 10^{-3}\ \dfrac{kg}{s}$

Potencia efectiva: $N_e = \overset{\bullet}{m}_{ret}\cdot F\cdot PCI\cdot\eta_e = 7,424\cdot 10^{-3}\ \dfrac{kg_a}{s}\cdot\dfrac{1}{14}\dfrac{kg_c}{kg_a}\cdot 42000\ \dfrac{kJ}{kg_c}\cdot 0,3 = 6,68\ kW$

Potencia perdida en cortocircuito:

$$N_e = (\overset{\bullet}{m}_{sum} - \overset{\bullet}{m}_{ret})\cdot F\cdot PCI\cdot\eta_e = (9,28-7,424)\cdot 10^{-3}\ \frac{kg_a}{s}\cdot\frac{1}{14}\frac{kg_c}{kg_a}\cdot 42000\ \frac{kJ}{kg_c}\cdot 0,3 = 1,67\ kW$$

3. Las características de un MEP de dos tiempos son las siguientes:

Cilindrdad, $V_c = 150$ cm^3
Velocidad del motor, n = 4500 r/min.
Relación de compresión teórica, $\rho_t = 10$
Rendimiento de retención, $\eta_{ret} = 0,85$
Coeficiente de admisión, $R_s = 0,95$
Dosado, F = 1/14,5
Temperatura de admisión, $T_a = 30$ °C
Presión en el escape, $p_e = 1,2$ bar
Consumo específico, $C_e = 320$ g /kW·h
PCI = 42000 J/g

Calcular:

1.- El rendimiento efectivo referido al flujo de masa retenida y a la al flujo de masa suministrada
2.- Presión media y potencia efectivas.

1.-Flujo de masa de referencia:
$$\overset{\bullet}{m}_{ref} = \frac{n}{60} \cdot \frac{ciclos}{s} \cdot \delta_{ae} \frac{kg}{m^3} \cdot \frac{\rho_t}{\rho_t - 1} \cdot V_C \cdot 10^{-6} \frac{m^3}{ciclo}$$

Rendimiento de retención:
$$\eta_{ret} = \frac{\overset{\bullet}{m}_{ret}}{\overset{\bullet}{m}_{sum}} = \frac{\eta_s}{R_S}$$

Coeficiente de admisión:
$$R_S = \frac{\overset{\bullet}{m}_{sum}}{\overset{\bullet}{m}_{ref}}$$

Densidad de referencia:
$$\delta_{ae} = \delta_0 \cdot \frac{T_o}{T_a} \cdot \frac{p_e}{p_o} = 1,293 \cdot \frac{273}{303} \cdot \frac{1,2}{1} = 1,4 \frac{kg}{m^3}$$

$$\overset{\bullet}{m}_{ref} = \frac{4500}{60} \cdot 1,4 \cdot \frac{10}{10-1} \cdot 100 \cdot 10^{-6} = 11,66 \cdot 10^{-3} \frac{kg}{s}$$

Flujo de masa suministrada:
$$\overset{\bullet}{m}_{sum} = 11,66 \cdot 10^{-3} \cdot 0,95 = 11,08 \cdot 10^{-3} \frac{kg}{s}$$

Flujo de masa retenida:
$$\overset{\bullet}{m}_{ret} = 11,08 \cdot 10^{-3} \cdot 0,85 = 9,42 \cdot 10^{-3} \frac{kg}{s}$$

Consumo horario de combustible:
$$\overset{\bullet}{m}_{comb} = \frac{11,08 \cdot 10^{-3}}{14,5} = 0,82 \cdot 10^{-3} \frac{kg}{s}$$

Consumo horario:
$$C_h = 3600 \frac{s}{h} \cdot 0,82 \cdot 10^{-3} \frac{kg}{s} = 2,93 \frac{kg}{h}$$

Potencia efectiva:
$$N_e = \frac{C_h}{C_e} = \frac{2930 \dfrac{g}{h}}{320 \dfrac{g}{kW \cdot h}} = 9,15 \ kW$$

$$9,15 \ kW = 9,42 \cdot 10^{-3} \frac{kg_a}{s} \cdot \frac{1kg_c}{14,5 \ kg_a} \cdot 42000 \frac{kJ}{kg_c} \cdot \eta_{ea-ret} \qquad \eta_{ea\text{-}ret} = 0,335$$

$$9,15 \ kW = 11,08 \cdot 10^{-3} \frac{kg_a}{s} \cdot \frac{1kg_c}{14,5 \ kg_a} \cdot 42000 \frac{kJ}{kg_c} \cdot \eta_{ea-sum} \qquad \eta_{ea\text{-}sum} = 0,285$$

Trabajo efectivo:
$$W_e = \frac{9,15 \cdot 60 \cdot 1000}{4500} = 122 \ J$$

Presión media efectiva:
$$p_{me} = \frac{122 \ N \cdot m}{100 \cdot 10^{-6} m^3} \cdot 10^{-5} \frac{bar}{\dfrac{N}{m^2}} = 12,2 \ bar$$

4. Las características de un MEP de dos tiempos tiene una cilindrada V_c = 150 cm³. Cuando se cierra la lumbrera de escape en el interior del cilindro hay 0,143 g de mezcla de aire y combustible más un 6% de la masa total que evoluciona en el ciclo. Sabiendo que:

Coeficiente de admisión, R_s = 0,92
Velocidad del motor, n = 4200 r/min.
Relación de compresión teórica, ρ_t = 9
Dosado, F = 1/15
Temperatura de admisión, T_a = 27 °C
Presión en el escape, p_e = 1,05 bar
Consumo específico, C_e =320 g/kW.h
PCI = 42000 J/g

Determinar:

1.- Flujos másicos de, referencia, suministrado, retenido, cortocircuito, residuales y total que evoluciona en el ciclo.
2.- Coeficientes de carga y llenado. Rendimientos de retención, barrido y llenado.
3.- Potencia efectiva si el rendimiento efectivo referido a la masa de aire retenida es 0,35. ————————————— ————

1.- Densidad de referencia:
$$\delta_{ae} = \delta_0 \cdot \frac{T_o}{T_a} \cdot \frac{p_e}{p_o} = 1,293 \cdot \frac{273}{300} \cdot \frac{1,05}{1} = 1,235 \frac{kg}{m^3}$$

Flujo de masa de referencia:
$$\overset{\bullet}{m}_{ref} = \frac{n}{60} \frac{ciclos}{s} \cdot \delta_{ae} \frac{kg}{m^3} \cdot \frac{\rho_t}{\rho_t - 1} \cdot V_C \cdot 10^{-6} \frac{m^3}{ciclo}$$

$$\overset{\bullet}{m}_{ref} = \frac{4200}{60} \cdot 1,235 \cdot \frac{9}{9-1} \cdot 100 \cdot 10^{-6} = 14,59 \cdot 10^{-3} \frac{kg}{s}$$

Flujo de masa de retenida:
$$\overset{\bullet}{m}_{ret} = 0,143 \cdot 10^{-3} \frac{kg}{ciclo} \cdot \frac{4200}{60} \frac{ciclos}{s} = 10 \cdot 10^{-3} \frac{kg}{s}$$

Flujo de masa que evoluciona:
$$\overset{\bullet}{m}_{evol} = 10 \cdot 10^{-3} \frac{kg}{s} + 0,06 \cdot \overset{\bullet}{m}_{evol} \rightarrow \overset{\bullet}{m}_{evol} = 10,64 \cdot 10^{-3} \frac{kg}{s}$$

Flujo de masa de residuales:
$$\overset{\bullet}{m}_{res} = 0,06 \cdot 10,64 \cdot 10^{-3} \frac{kg}{s} = 0,64 \cdot 10^{-3} \frac{kg}{s}$$

Flujo de masa suministrada:
$$R_S = \frac{\overset{\bullet}{m}_{sum}}{\overset{\bullet}{m}_{ref}} \rightarrow \overset{\bullet}{m}_{sum} = 14,59 \cdot 10^{-3} \frac{kg}{s} \cdot 0,92 = 13,42 \cdot 10^{-3} \frac{kg}{s}$$

Flujo de masa de cortocircuito:
$$\overset{\bullet}{m}_{cc} = \overset{\bullet}{m}_{sum} - \overset{\bullet}{m}_{ret} = (13,42 - 10) \cdot 10^{-3} \frac{kg}{s} = 3,42 \frac{kg}{s}$$

2.- Coeficiente de carga: $\quad \eta_s = \dfrac{\overset{\bullet}{m}_{ret}}{\overset{\bullet}{m}_{ref}} = \dfrac{10 \cdot 10^{-3}}{14.59 \cdot 10^{-3}} = 0,685$

Rendimiento de barrido: $\quad \eta_b = \dfrac{\overset{\bullet}{m}_{ret}}{\overset{\bullet}{m}_{ret} + \overset{\bullet}{m}_{res}} = \dfrac{10 \cdot 10^{-3}}{(10 + 0,64) \cdot 10^{-3}} = 0,94$

Rendimiento de retención: $\quad \eta_R = \dfrac{\overset{\bullet}{m}_{ret}}{\overset{\bullet}{m}_{sum}} = \dfrac{10 \cdot 10^{-3}}{13,42 \cdot 10^{-3}} = 0,745$

Rendimiento de llenado: $\quad \eta_{LL} = \dfrac{\overset{\bullet}{m}_{ev}}{\overset{\bullet}{m}_{ref}} = \dfrac{10,64 \cdot 10^{-3}}{14,59 \cdot 10^{-3}} = 0,73$

3. - Potencia efectiva: $N_e = \overset{\bullet}{m}_{ret} \cdot F \cdot PCI \cdot \eta_e = 10 \cdot 10^{-3} \dfrac{kg_a}{s} \cdot \dfrac{1}{15} \dfrac{kg_c}{kg_a} \cdot 42000 \dfrac{kJ}{kg_c} \cdot 0,35 = 9,8 \; kW$

4

RENDIMIENTOS
Y CONSUMO
ESPECÍFICO

Ejercicios resueltos.

1.-Un motor diesel de 4 cilindros y 4 tiempos tiene 5000 cm^3 de cilindrada. El consumo especifico es de 240 g/kW·h; sabiendo que la presión media debida a las pérdidas mecánicas es el 20% de la presión media indicada y que la presión media efectiva es de 7 bar. Se pide calcular:

     1 - Los rendimientos: indicado, mecánico y efectivo.
     2 - Potencia y par motor efectivos, si gira a 2000 r/min (PCI = 42000 kJ/kg)
     3 - Cantidad de combustible inyectado en cada cilindro.

1.- Rendimiento efectivo: $\eta_e = \dfrac{36 \cdot 10^5}{C_e \cdot PCI} = \dfrac{36 \cdot 10^5 \dfrac{J}{kW \cdot h}}{240 \dfrac{g}{kW \cdot h} \cdot 42000 \dfrac{J}{g}} = 0,357$

Según indica el enunciado, $p_{mpm} = 0,2 p_{mi}$ y $p_{me} = 7 \ bar$

Rendimiento mecánico: $\eta_m = \dfrac{W_e}{W_i} = \dfrac{W_i - W_{pm}}{W_i}$; dado que $p_{mx} = \dfrac{W_x}{V_c}$ (x= i, e, pm)

finalmente se obtiene $\eta_m = \dfrac{p_{mi} - p_{mpm}}{p_{mi}} = \dfrac{p_{mi} - 0,2 \cdot p_{mi}}{p_{mi}} = 0,8$

Rendimiento indicado: $\eta_e = \eta_i \cdot \eta_m$ $\rightarrow$ $\eta_i = \dfrac{\eta_e}{\eta_m} = \dfrac{0,357}{0,8} = 0,446$

2.- Trabajo efectivo: $W_e = p_{me} V_c = 7 \cdot 10^5 \dfrac{N}{m^2} \cdot 5000 \cdot 10^{-6} m^3 = 3500 \ J$

Potencia efectiva: $N_e = \dfrac{W_e \cdot n}{2 \cdot 60 \cdot 1000} = \dfrac{3500 \cdot 2000}{120000} = 58,33 \ kW$

Par motor efectivo: $M_e = \dfrac{W_e}{4\pi} = \dfrac{3500}{4\pi} = 278,52 \ N \cdot m$

3.- Cantidad de combustible inyectado en cada cilindro.

Calculamos en primer lugar el consumo horario:

$C_h = C_e \cdot N_e = 240 \dfrac{g}{kW \cdot h} \cdot 58,33 \ kW = 13999,2 \dfrac{g}{h}$

Averiguamos el número de ciclos por hora: $n = \dfrac{2000\ ciclo}{2\ min} \cdot 60\,\dfrac{min}{h} = 60000\,\dfrac{ciclo}{h}$

Consumo total de combustible por ciclo $= \dfrac{13999{,}2\ \dfrac{g}{h}}{60000\ \dfrac{ciclo}{h}} = 0{,}2333\,\dfrac{g}{ciclo}$

Por último, como el motor dispone de 4 cilindros

Consumo por cilindro $= \dfrac{0{,}2333}{4} = 0{,}0583\,\dfrac{g}{ciclo \cdot cilindro}$

2.-Un tractor está equipado con un motor de 6 cilindros y 4 tiempos su cilindrada total es 5000 cm³. Si la carrera es s = 10 cm y el dosado F = 0,04. Se pide determinar:

1.- Velocidad de giro del motor para una velocidad media del pistón de 8 m/s.
2.- Potencia al freno para $\eta_v = 0,8$; $\eta_m = 0,7$; $\eta_t = 0,6$; $\lambda = 0,76$; PCI = 42 MJ/kg y $\delta_a = 1,25$ g/l.
3.- Consumos específico y horario.

1.- Velocidad media del pistón, V_m:

$$V_m = \frac{s \cdot n}{30} \quad \rightarrow \quad n = \frac{V_m \cdot 30}{S} = \frac{8 \cdot 30}{0,1} = 2400 \frac{r}{min}$$

2.- La potencia al freno se obtiene a partir del trabajo efectivo para cuyo cálculo previamente será necesario obtener el calor aportado Q_1

$$N_e = \frac{W_e \cdot n}{2 \cdot 60 \cdot 1000} \qquad W_e = Q_1 \cdot \eta_e$$

Además para calcular el calor aportado Q_1 es necesario obtener la masa de combustible por ciclo.

Masa de aire por ciclo m_a: $\qquad \eta_v = \frac{m_a}{V_c \cdot \delta_0} \quad \rightarrow \quad m_a = 0,8 \cdot 5 \; l \cdot 1,25 \frac{g}{l} = 5 \; g_a$

Masa de combustible por ciclo m_c: $\quad m_c = m_a \cdot F = 5 \cdot 0,04 = 0,2 \; g_c$

Calor aportado: $\qquad Q_1 = m_c \cdot PCI = 0,2 \; g \cdot 42000 \frac{J}{g} = 8400 \; J$

Trabajo efectivo: $\qquad W_e = Q_i \cdot \eta_e$

$$\eta_e = \eta_i \cdot \eta_m = \eta_t \cdot \lambda \cdot \eta_m = 0,6 \cdot 0,76 \cdot 0,7 = 0,319$$

$$W_e = Q_1 \cdot \eta_e = 8400 \cdot 0,319 = 2679,6 \; J$$

Finalmente la potencia: $\qquad N_e = \frac{W_e \cdot n}{2 \cdot 60 \cdot 1000} = \frac{2679,6 \cdot 2400}{2 \cdot 60 \cdot 1000} = 53,59 \; kW$

3.- Consumo horario: $\qquad C_h = 0,2 \frac{g}{ciclo} \cdot \frac{2400 \; ciclo}{2 \; min} \cdot 60 \frac{min}{h} = 14400 \frac{g}{h} = 14,4 \frac{kg}{h}$

Consumo específico: $\qquad C_e = \frac{C_h}{N_e} = \frac{14400 \frac{g}{h}}{53,59 \; kW} = 268,71 \frac{g}{kW \cdot h}$

3.- Calcular las potencias teórica, indicada y efectiva así como el dosado relativo de un motor Otto de 4 cilindros y 4 tiempos cuyas características son las siguientes:

Cilindrada: $1400 \ cm^3$ Rendimiento mecánico: 0,8
Régimen: 3000 r/min.   Presión media ideal: 25 bar
Relación de compresión: 8,5   Poder calorífico: 42000 kJ/kg.
Rendimiento volumétrico: 0,75   Dosado estequiométrico: 0,0645
Consumo específico: 260 g/kW·h.   Densidad del aire: 1,23 g/l

Trabajo ideal o teórico:

$$Q_1 = p_m \cdot V_c = 25 \cdot 10^5 \ \frac{N}{m^2} \cdot 1,4 \cdot 10^{-3} \ m^3 = 3500 \ J$$

Rendimiento térmico teórico:

$$\eta_t = 1 - \frac{1}{\rho^{\gamma-1}} = 1 - \frac{1}{8,5^{0,4}} = 0,575$$

Rendimiento efectivo:

$$C_e = \frac{36 \cdot 10^5}{\eta_e \cdot PCI} \ \rightarrow \ \eta_e = \frac{36 \cdot 10^5 \ \frac{J}{kW \cdot h}}{260 \ \frac{g}{kW \cdot h} \cdot 42000 \ \frac{J}{g}} = 0,329$$

Rendimiento indicado:

$$\eta_i = \frac{\eta_e}{\eta_m} = \frac{0,329}{0,8} = 0,412$$

Potencia teórica:

$$N_1 = \frac{Q_1 \cdot \eta_t \cdot n}{2 \cdot 60 \cdot 1000} = \frac{3500 \cdot 0,575 \cdot 3000}{2 \cdot 60 \cdot 1000} = 50,31 \ kW$$

Potencia efectiva

$$N_e = \frac{Q_1 \cdot \eta_e \cdot n}{2 \cdot 60 \cdot 1000} = \frac{3500 \cdot 0,329 \cdot 3000}{2 \cdot 60 \cdot 1000} = 28,781 \ kW$$

Potencia indicada:

$$N_i = \frac{N_e}{\eta_m} = \frac{28,78}{0,8} = 35,98 \ kW$$

Dosado relativo: $F_r = \dfrac{F}{F_{estequiométrico}}$

Para obtener el dosado, previamente calculamos la masa de aire y de combustible por ciclo.

Masa de aire por ciclo:

$$m_a = V_c \cdot \delta_0 \cdot \eta_v = 1,4 \cdot 10^{-3} m^3 \cdot 1,23 \ \frac{kg}{m^3} \cdot 0,75 = 1,29 \ \frac{g_a}{ciclo}$$

Masa de combustible por ciclo: $Q_1 = m_c \cdot PCI \ \rightarrow \ m_c = \dfrac{Q_1}{PCI} = \dfrac{3500 \ J}{42000 \ \frac{J}{g}} = 0,083 \ \dfrac{g_c}{ciclo}$

$$F = \frac{0,083}{1,291} = 0,0643 \ \frac{g_c}{g_a} \ \rightarrow \ F_r = \frac{0,0643}{0,0645} = 0,997$$

4.- En el ensayo de la potencia al freno de un tractor con motor Diesel de 4 cilindros y 4 tiempos, de 4.600 cm^3 de cilindrada, se han obtenido los siguientes resultados:

Régimen del motor: 1600 r/min.
Par motor: 520 N·m en la toma de fuerza a 540 r/min
Consumo de combustible: 50 g en 14 s

Se pide determinar: la potencia del tractor, el consumo específico, el rendimiento efectivo y el combustible inyectado por ciclo (poder calorífico inferior, PCI: 42 MJ/kg)

Potencia efectiva:
$$N_e = \frac{M_{tdf} \cdot 2\pi \cdot n_{tdf}}{60 \cdot 1000} = \frac{520 \cdot 2\pi \cdot 540}{60 \cdot 1000} = 29,4 \ kW$$

Consumo horario:
$$C_h = \frac{50}{14} \frac{g_c}{s} \cdot 3600 \ \frac{s}{h} = 12857,14 \ \frac{g_c}{h}$$

Consumo específico:
$$C_e = \frac{C_h}{N_e} = \frac{12857,14 \ \frac{g_c}{h}}{29,4 \ kW} = 437,3 \ \frac{g_c}{kW \cdot h}$$

Rendimiento efectivo:
$$\eta_e = \frac{36 \cdot 10^5}{C_e \cdot PCI} = \frac{36 \cdot 10^5 \ \frac{J}{kW \cdot h}}{437,3 \ \frac{g}{kW \cdot h} \cdot 42000 \ \frac{J}{g}} = 0,196$$

Combustible inyectado por ciclo C$_i$:

$$C_i = \frac{C_h}{\dfrac{n^o \ ciclos}{h}} = \frac{12857,14 \ \frac{g_c}{h}}{\dfrac{1600 \ ciclos}{2 \ min} \cdot 60 \ \frac{min}{h}} = 0,0267 \ \frac{g_c}{ciclo}$$

5.- Un motor Diesel de 4 tiempos sobrealimentado se encuentra funcionando en un banco de pruebas, donde se han obtenido los siguientes datos:

  Régimen de giro: 1400 r/min
  Par motor: 6000 N·m
  Tiempo que tarda en consumir una probeta de 3 litros de combustible: 45 s
  Masa de aire que absorbe el motor: 1,1643 kg/s
  Diámetro (D) y carrera del pistón (s): 185 y 200 mm, respectivamente
  Número de cilindros (z): 12.

Se pide calcular: la potencia que desarrolla el motor y presión media efectiva, velocidad media del pistón, combustible inyectado por cilindro y ciclo, consumo especifico, densidad del aire en el colector de admisión después del compresor suponiendo un rendimiento volumétrico de 0,91. Densidad gasoil: $\delta = 0,86$ kg/l

Potencia efectiva:
$$N_e = \frac{M_e \cdot 2\pi \cdot n}{60 \cdot 1000} = \frac{6000 \cdot 2\pi \cdot 1400}{60 \cdot 1000} = 879,6 \ kW$$

Trabajo efectivo:
$$W_e = M_e \cdot 4 \cdot \pi = 6000 \ 4\pi = 75398,22 \ J$$

Cilindrada:
$$V_c = z \cdot \frac{\pi \cdot D^2}{4} \cdot s = 12 \cdot \frac{\pi \cdot 1,85^2}{4} \cdot 2 = 64512 \ cm^3 = 64,512 \ l$$

Presión media efectiva:
$$p_{me} = \frac{W_e}{V_c} = \frac{75398,22 \ N \cdot m}{64,512 \cdot 10^{-3} \ m^3} \cdot \frac{1 \ bar}{10^5 \ \frac{N}{m^2}} = 11,68 \ bar$$

Velocidad media del pistón:
$$V_m = \frac{s \cdot n}{30} = \frac{0,2 \cdot 1400}{30} = 9,33 \ \frac{m}{s}$$

Consumo horario:
$$C_h = \frac{3000 \ cm^3}{45 \ s} \cdot 3600 \frac{s}{h} = 240000 \frac{cm^3}{h} = 240 \frac{l}{h}$$

$$C_h = 240 \frac{l}{h} \cdot 0,86 \frac{kg}{l} = 206,4 \frac{kg}{h}$$

Consumo específico:
$$C_e = \frac{C_h}{N_e} = \frac{206400 \frac{g_c}{h}}{879,6 \ kW} = 234,65 \frac{g_c}{kW \cdot h}$$

Combustible inyectado por ciclo C_i:

Averiguamos en primer lugar el número de ciclos por hora:

$$\frac{1400 \ ciclos}{2 \ min} \cdot 60 \frac{min}{h} = 42000 \frac{ciclos}{h}$$

Combustible inyectado por ciclo C$_i$:

$$C_i = \frac{206400 \frac{g_c}{h}}{42000 \frac{ciclos}{h}} = 4,91 \frac{g_c}{ciclo}$$

Combustible inyectado por cilindro C$_{ic}$:

$$C_{ic} = \frac{4,91}{12} = 0,409 \frac{g_c}{ciclo \cdot cilindro}$$

Densidad de aire en el colector de admisión, suponiendo $\eta_v = 0,91$

$$\eta_v = \frac{m_a}{V_c \cdot \dfrac{n}{2} \cdot \delta_0} \quad \rightarrow \quad \delta_0 = \frac{m_a}{V_c \cdot \dfrac{n}{2} \cdot \eta_v} = \frac{1,1643 \dfrac{kg}{s} \cdot 60 \dfrac{s}{min} \cdot 1000 \dfrac{g}{kg}}{64,512 \dfrac{l}{ciclo} \cdot \dfrac{1400 \; ciclos}{2 \; min} \cdot 0,91} = 1,70 \frac{g}{l}$$

6.- Determinar la presión media indicada y efectiva así como el diámetro, carrera y cilindrada total de un motor de gasolina de cuatro tiempos empleado en automoción que desarrolla 35 kW a 6200 r/min, partiendo de los datos siguientes:

Relación de compresión volumétrica: $\rho = 9,5/1$
Relación combustible aire: $F = 1/14$
Rendimiento volumétrico a plena carga y 6200 r/min: $\eta_v = 0,75$
Rendimiento mecánico: $\eta_m = 0,88$
Coeficiente de calidad respecto al ciclo teórico del aire: $\lambda = 0,53$
Relación carrera-diámetro: s/D= 1,04
Número de cilindros: z = 4
Poder calorífico del combustible, PCI: 42000 kJ/kg
Relación entre calores específicos del aire 1,41
Condiciones ambientales 20 C y 1 bar: $\delta_a = 1,2$ kg/m^3

Calculamos en primer lugar el volumen de cilindrada,

Segun el enunciado la potencia efectiva N_e es 35 kW a 6200 r/min, por tanto:

Trabajo efectivo:
$$W_e = \frac{N_e \cdot 2 \cdot 60 \cdot 1000}{n} = \frac{35 \cdot 2 \cdot 60 \cdot 1000}{6200} = 677,4 \ J$$

Por otra parte, $W_e = Q_1 \cdot \eta_e = m_c \cdot PCI \cdot \eta_e = m_a \cdot F \cdot PCI \cdot \eta_e = V_c \cdot \delta_0 \cdot \eta_v \cdot F \cdot PCI \cdot \eta_e$, luego

$$V_c = \frac{W_e}{\delta_0 \cdot \eta_v \cdot F \cdot PCI \cdot \eta_e}$$

Para obtener V_c a partir de la expresión anterior será necesario calcular el rendimiento efectivo:

$\eta_e = \eta_t \cdot \lambda \cdot \eta_m$

$$\eta_t = 1 - \frac{1}{\rho^{\gamma-1}} = 1 - \frac{1}{9,5^{0,41}} = 0,584 \ \rightarrow \ \eta_e = 0,584 \cdot 0,53 \cdot 0,88 = 0,272$$

luego, $V_c = \dfrac{667,4 \ J}{1,2 \dfrac{kg_a}{m^3} \cdot 0,75 \cdot \dfrac{1}{14} \dfrac{kg_c}{kg_a} \cdot 42000 \dfrac{kJ}{kg_c} \cdot 1000 \dfrac{J}{kJ} \cdot 0,272} = 9,223 \cdot 10^{-4} m^3 = 922,3 \ cm^3$

Conocida la cilindrada y la relación carrera-diámetro s/D, es posible obtener el diámetro a partir de:

$$V_c = \frac{\pi \cdot D^2}{4} \cdot s \cdot z$$

relación $\dfrac{s}{D} = 1,04 \ \rightarrow \ s = 1,04 \cdot D \ $ y $ \ z = 4$

Por tanto, $\quad V_c = \dfrac{\pi \cdot D^2}{4} \cdot 1{,}04 \cdot D \cdot 4 \rightarrow D^3 = \dfrac{V_c}{\pi \cdot 1{,}04} \rightarrow D = \sqrt[3]{\dfrac{922{,}3}{\pi \cdot 1{,}04}} = 65{,}59 \ mm$

$s = 1{,}04 \cdot 65{,}59 = 68{,}2 \ mm$

Presión media efectiva: $\quad p_{me} = \dfrac{W_e}{V_c} = \dfrac{677{,}4 \ J}{9{,}223 \cdot 10^{-4} \ m^3} = 73{,}4468 \cdot 10^4 \ \dfrac{N}{m^2} = 7{,}34 \ bar$

Presión media indicada: $\quad p_{mi} = \dfrac{W_i}{V_c}$, $\quad$ dado que $W_i = Q_1 \cdot \eta_i$ $\quad$ será necesario en primer lugar calcular el rendimiento indicado

$\eta_e = \eta_i \cdot \eta_m \rightarrow \eta_i = \dfrac{\eta_e}{\eta_m} = \dfrac{0{,}272}{0{,}88} = 0{,}301$

$W_i = V_c \cdot \delta_0 \cdot \eta_v \cdot F \cdot PCI \ \eta_i = 9{,}223 \cdot 10^{-4} \ m^3 \cdot 1{,}2 \ \dfrac{kg}{m^3} \cdot 0{,}75 \cdot \dfrac{1}{14} \cdot 42000 \ \dfrac{kJ}{kg} \cdot 0{,}301 = 0{,}74955 \ kJ$

Finalmente, $\quad p_{mi} = \dfrac{749{,}55 \ J}{9{,}223 \cdot 10^{-4} \ m^3} = 81{,}2696 \cdot 10^4 \ \dfrac{N}{m^2} = 8{,}13 \ bar$

5

DOSIFICACIÓN
DE COMBUSTIBLE
Y CARBURADORES

Ejercicios resueltos

1.- Un motor Diesel de 4031 cm^3 ha de proporcionar cuatro potencias nominales a 2100 r/min, según la siguiente tabla:

N_n	(kW)	80	90	100	120
C_e	$\left(\dfrac{g}{kW \cdot h}\right)$	230	228	231	230

Dicho motor ha de ser sobrealimentado para poder alcanzar las citadas potencias, incluso se puede requerir un refrigerador intermedio (intercooler). Se pretende que la temperatura de la carga de aire en la admisión no supere los 80 ºC, y la relación mínima aire-combustible sea 20/1. Se pide:

   1.- Determinar la cantidad mínima de aire para cada potencia.
   2.- La presión de carga del turbocompresor para el caso más desfavorable.
   3.- En caso de requerirse intercooler, calcular la potencia calorífica disipada así como la potencia requerida por el turbocompresor, si el rendimiento isentrópico es 0,9 y el rendimiento mecánico 0,88. (Temperatura ambiente: $T_o = 20$ ºC y presión atmosférica: $p_o = 1$ bar; $\gamma = 1,41$; $R = 0,2867$ J/g·K).

1.- Para cada potencia nominal, calculamos el consumo de combustible (C_{ci}):

Para 80 kW $\rightarrow$ $C_{c1} = N_n \cdot C_e = 80 \ kW \cdot 0,23 \dfrac{kg}{kW \cdot h} = 18,4 \dfrac{kg}{h}$

Para 90 kW $\rightarrow$ $C_{c2} = N_n \cdot C_e = 90 \ kW \cdot 0,228 \dfrac{kg}{kW \cdot h} = 20,52 \dfrac{kg}{h}$

Para 100 kW $\rightarrow$ $C_{c3} = N_n \cdot C_e = 100 \ kW \cdot 0,231 \dfrac{kg}{kW \cdot h} = 23,1 \dfrac{kg}{h}$

Para 120 kW $\rightarrow$ $C_{c4} = N_n \cdot C_e = 120 \ kW \cdot 0,23 \dfrac{kg}{kW \cdot h} = 27,6 \dfrac{kg}{h}$

Para calcular ahora el consumo mínimo de aire (C_{ai}), consideramos que la relación mínima aire-combustible ha de ser 20/1;

$C_{a1} = C_{c1} \cdot 20 = 18,4 \cdot 20$ $C_{a1} = 368 \dfrac{kg}{h}$

$C_{a2} = C_{c2} \cdot 20 = 20,52 \cdot 20$ $C_{a2} = 410 \dfrac{kg}{h}$

$C_{a3} = C_{c3} \cdot 20 = 23,1 \cdot 20$ $C_{a3} = 462 \dfrac{kg}{h}$

$C_{a4} = C_{c4} \cdot 20 = 27,6 \cdot 20$ $C_{a4} = 552 \dfrac{kg}{h}$

2.- La presión de carga del turbocompresor para el caso más desfavorable es la que corresponde a la potencia nominal de 120 kW, cuyo consumo de aire es 552 kg/h.

Presión de carga de aire del turbocompresor: $p_c \cdot V = n \cdot R \cdot T \rightarrow p_c = \delta_{aire} \cdot R \cdot T$

Su cálculo requiere obtener previamente la densidad del aire en el interior.

Masa de aire por ciclo: $m_{ac} = \dfrac{552 \dfrac{kg}{h} \cdot 1000 \dfrac{g}{kg} \cdot \dfrac{1}{3600} \dfrac{h}{s}}{\dfrac{2100 \ ciclos}{2} \cdot \dfrac{1 \ min}{60 \ s}} = 8{,}76 \ \dfrac{g}{ciclo}$

Densidad del aire en el interior: $\delta_{aire} = \dfrac{m_{ac}}{V_c} = \dfrac{8{,}76 \dfrac{g}{ciclo}}{4{,}031 \dfrac{l}{ciclo}} = 2{,}17 \ \dfrac{g_a}{l}$

Por tanto la presión del aire en los cilindros para la temperatura de 80 °C será:

$$p_c = \delta_{aire} \cdot R \cdot T = 2{,}17 \dfrac{g}{l} \cdot \dfrac{l}{10^{-3} m^3} \cdot 0{,}2867 \dfrac{J}{g \cdot K} \cdot 353 \ K \cdot 10^{-5} \dfrac{bar}{\dfrac{N}{m^2}} = 2{,}2 \ bar$$

3.- Para averiguar si se requiere un intercooler, es necesario determinar la temperatura real de salida del turbocompresor, T_{rc} y compararla con la temperatura de admisión deseada (80 °C).

Calculamos la temperatura teórica de salida del turbocompresor T_{sc} considerando un proceso isentrópico:

$$T_{sc} = T_0 \cdot \left(\dfrac{p_c}{p_0}\right)^{\frac{\gamma-1}{\gamma}} = (273 + 20) \cdot \left(\dfrac{2{,}2}{1}\right)^{\frac{1{,}41-1}{1{,}41}} = 366{,}45 \ K$$

La temperatura real, T_{rc} de salida teniendo en cuenta el rendimiento isentrópico será:

$$\eta_{is} = \dfrac{T_{sc} - T_0}{T_{rc} - T_0} = \dfrac{366{,}45 - 293}{T_{rc} - 293} = 0{,}9 \rightarrow T_{rc} = 374{,}61 \ K = 101{,}61 \ °C > 80 \ °C$$

Por tanto será necesario un enfriador intermedio (intercooler). Vamos a obtener en ese caso la potencia calorífica disipada y la potencia requerida por el turbocompresor.

La potencia calorífica cedida: $\dot{Q}_{cedida} = \dot{m}_{ac} \cdot C_p \cdot (T_{rc} - T_{ad})$, siendo T_{ad} temperatura de admisión (80 °C).

Masa de aire calculada anteriormente: $\dot{m}_{ac} = 8{,}76 \dfrac{g}{ciclo} \cdot \dfrac{2100 \ ciclos}{2 min} \cdot \dfrac{1 \ min}{60 \ s} = 153{,}3 \dfrac{g}{s}$

$$Q_{cedida} = 153,3 \frac{g}{s} \cdot 1 \frac{J}{g \cdot K} \cdot (374,6 - (273 + 80)) \ K \cdot 10^{-3} \frac{kW}{W} = 3,31 \ kW$$

La potencia requerida por el turbocompresor es:

$$N_{ae} = \frac{\overset{\bullet}{m}_{ac} \cdot C_p \cdot (T_{rc} - T_0)}{\eta_m} = \frac{153,3 \frac{g}{s} \cdot 1 \frac{J}{g \cdot K} \cdot (374,6 - 293) \ K}{0,88} = 14,21 \ kW$$

Veamos ahora si el para el motor de 100 kW se requiere un intercooler. Para ello igual que en el motor de 120 kW, procedemos a calcular la presión de aire en el turbocompresor. En este caso, se parte de la expresión:

$$\frac{p_{c_1}}{p_{c_2}} = \frac{\delta_1}{\delta_2} \quad \rightarrow \quad p_{c_2} = 2,2 \cdot \frac{\delta_2}{2,17} \ , \text{luego será necesario obtener previamente la densidad}$$

de aire en el interior.

Masa de aire por ciclo: $$m_{ac} = \frac{462 \frac{kg}{h} \cdot 1000 \frac{g}{kg} \cdot \frac{1}{3600} \frac{h}{s}}{2100 \frac{ciclos}{2 \ min} \cdot \frac{1}{60} \frac{min}{s}} = 7,33 \ \frac{g}{ciclo}$$

Densidad del aire en el interior: $$\delta_{aire} = \frac{m_{ac}}{V_c} = \frac{7,33 \frac{g}{ciclo}}{4,031 \frac{l}{ciclo}} = 1,82 \ \frac{g_a}{l}$$

Una vez calculada la densidad de aire en el interior, procedemos a obtener la presión:

$$p_{c_2} = 2,2 \cdot \frac{\delta_2}{2,17} \quad \rightarrow \quad p_{c_2} = 2,2 \cdot \frac{1,82}{2,17} = 1,83 \ bar$$

La temperatura de salida del turbocompresor:

$$T_{sc} = T_0 \cdot \left(\frac{p_c}{p_0}\right)^{\frac{\gamma - 1}{\gamma}} = (273 + 20) \cdot \left(\frac{1,835}{1}\right)^{\frac{1,41 - 1}{1,41}} = 348,06 \ K$$

La temperatura real de salida, teniendo en cuenta el rendimiento isentrópico:

$$\eta_{is} = \frac{T_{sc} - T_0}{T_{rc} - T_0} = \frac{348,06 - 293}{T_{rc} - 293} = 0,9 \quad \rightarrow \quad T_{rc} = 354,81 \ K \approx 80 \ ^\circ C$$

El motor de 100 kW no necesita intercooler y tampoco lo requerirán los motores de 80 y 90 kW.

Calculamos la potencia del turbocompresor para la potencia nominal de 100 kW:

$$N_{ae} = \frac{\dot{m}_{ac} \cdot C_p \cdot (T_{rc} - T_0)}{\eta_m} = \frac{462\,\frac{kg}{h} \cdot \frac{1}{3600}\,\frac{h}{s} \cdot 1\,\frac{J}{g \cdot K} \cdot (354 - 293)\ K}{0,88} = 8895\ W = 8,9\ kW$$

Para los motores de potencias nominales de 80 kW y 90 kW mantenemos las mismas condiciones que para el de 100kW. Ahora bien, la relación aire / combustible será;

Para 90 kW $\qquad R_{a/c} = 20 \cdot \frac{462}{410,1} = 22,53\,\frac{kg_a}{kg_c}$

Para 80 kW $\qquad R_{a/c} = 20 \cdot \frac{462}{368} = 25,10\,\frac{kg_a}{kg_c}$

2.- Un motor de encendido provocado de cuatro tiempos, de 4,8 l de cilindrada, y 8 cilindros en V trabaja a 4200 r/min. La inyección de gasolina se lleva a cabo en dos etapas. En la primera se inyecta la cuarta parte del combustible en la carrera de admisión 10° antes que el pistón alcance el PMI y concluye 80° pasado dicho punto en la carrera de compresión. En la segunda inyección se aporta el resto del combustible 70° antes del PMS concluyendo 30° antes de que el pistón alcance dicho punto. El turbocompresor proporciona un $\eta_v = 0,98$. La relación aire / combustible es 28/1 ($\delta_{aire} = 1,181$ g/l). Determinar:

     1.- Cantidad de combustible aportado por cilindro en un segundo.
     2.- Tiempo que dura la primera inyección.
     3.- Cantidad de combustible aportado en la primera inyección por cilindro.
     4.- Cantidad de combustible aportado en la segunda inyección.

1.- Cantidad de aire absorbido:

$$\dot{m}_a = \eta_v \cdot \delta_a \cdot V_c \cdot \frac{n}{2} = 0,98 \cdot 1,181 \frac{g}{l} \cdot 4,8 \; \frac{l}{ciclo} \cdot \frac{4200 \; ciclos}{2 \min} \cdot \frac{1 \min}{60 \; s} = 194,4 \; \frac{g}{s}$$

Cantidad de combustible:
$$\dot{m}_c = \frac{\dot{m}_a}{28} = \frac{194,4}{28} = 6,94 \; \frac{g}{s}$$

Cantidad de combustible aportado por cilindro:
$$\dot{m}_{cilindro} = \frac{6,94}{8} = 0,8675 \frac{g}{s}$$

2.- Durante la preinyección el cigüeñal recorre un ángulo: $\quad \theta = 10 + 80 = 90°$

Calculamos el tiempo que tarda en dar una vuelta:

$$\frac{4200 \; ciclos}{60 \; s} = \frac{1 \; ciclo}{t_{vuelta}} \qquad \rightarrow \qquad t_{vuelta} = \frac{60}{4200} = 1,42 \cdot 10^{-2} \; s$$

$$\frac{360°}{1,42 \cdot 10^{-2} s} = \frac{90°}{t_{preinyec}} \qquad \rightarrow \qquad t_{preinyec} = \frac{90}{360} \cdot 1,42 \cdot 10^{-2} = 0,355 \cdot 10^{-2} \; s \; \text{por ciclo}$$

3.- Cantidad de combustible inyectado por ciclo y cilindro:

$$\dot{m}_{c-ciclo} = 0,8675 \frac{g}{s} \cdot 1,42 \cdot 10^{-2} \frac{s}{r} \cdot 2 \frac{r}{ciclo} = 2,46 \cdot 10^{-2} \; \frac{g}{ciclo}$$

En la primera etapa se inyecta la cuarta parte del combustible: $0,616 \cdot 10^{-2} \; \dfrac{g}{ciclo}$

Flujo de combustible en la preinyección: $\dot{m}_{preinyecc} = \dfrac{0,616 \cdot 10^{-2} \; \dfrac{g}{ciclo}}{3,55 \cdot 10^{-3} \; \dfrac{s}{ciclo}} = 1,735 \; \dfrac{g}{s}$

4.- Cantidad de combustible aportado en la segunda inyección. Se calcula el tiempo que tarda en realizar la inyección principal.

Ángulo girado: 70° - 30° = 40°

$$\dfrac{360°}{1,42 \cdot 10^{-2}} = \dfrac{40°}{t_{iny.principal}} \quad \rightarrow \quad t_{iny.principal} = 1,42 \cdot 10^{-2} \, \dfrac{40}{360} = 0,157 \cdot 10^{-2} \; s \; \text{ en un ciclo}$$

$$m_{c.iny.principal} = (2,46 - 0,616) \cdot 10^{-2} = 1,844 \cdot 10^{-2} \; \dfrac{g}{ciclo}$$

Flujo de combustible en la inyección principal: $\dot{m}_{preinyecc} = \dfrac{1,844 \cdot 10^{-2} \; \dfrac{g}{ciclo}}{0,157 \cdot 10^{-2} \; \dfrac{s}{ciclo}} = 11,74 \, \dfrac{g}{s}$

3.- Un motor Diesel de 4 tiempos, 4 cilindros y 4000 cm^3 de cilindrada trabaja a 2400 r/min. La inyección del combustible se inicia 20° antes de que el pistón alcance el PMS y concluye 5° después. Si el rendimiento volumétrico vale 0,9 y la relación aire/combustible = 17/1. Se pide:

    1.- El tiempo que dura la inyección.

    2.- El flujo de combustible descargado por cada inyector.

    3.- La presión diferencial de descarga del combustible si el diámetro del orificio de salida del inyector es de 0,35 mm y el coeficiente de descarga C$_D$= 0,85.

    ($\delta_{gasoil} = 0,84$ kg/l; $\delta_{aire}= 1,22$ g/l)

1.- Calculamos el ángulo total de inyección: I = 20 + 5 = 25°

La velocidad del motor por cada segundo: $n = \dfrac{2400\,\dfrac{r}{min}}{60\,\dfrac{s}{min}} = 40\,\dfrac{r}{s}$

El tiempo por vuelta, t$_v$ será: $t_v = \dfrac{1}{40}\,\dfrac{s}{r}$

El tiempo que dura la inyección, t$_{iny}$ será $\dfrac{360°}{\dfrac{1}{40}\,s} = \dfrac{25°}{t_{iny}}$ → $t_{iny} = \dfrac{25}{40\cdot 360} = 1,736\cdot 10^{-3}$ s

2.- Masa de aire que entra en cada cilindro por ciclo, m$_a$:

$$m_a = \eta_v \cdot V_c \cdot \delta_o = 0,9\cdot \dfrac{4l}{4}\cdot 1,22\,\dfrac{g}{l} = 1,1\text{ g de aire}$$

Masa del combustible que entra en cada cilindro por ciclo, m$_c$:

$$m_c = \dfrac{1,1\,\dfrac{g_a}{1}}{17\,\dfrac{g_a}{g_c}} = 0,0646\text{ g de combustible}$$

Finalmente el flujo de combustible será: $\dot{m}_c = \dfrac{0,0646\,g_c}{1,736\cdot 10^{-3}\,s} = 3,72\,\dfrac{g_c}{s}$

3.-La presión diferencial de descarga del combustible, Δp, se calcula a partir de la expresión de flujo del combustible:

$$\dot{m}_c = C_D \cdot S \cdot \sqrt{2\cdot \delta_{gasoil} \cdot \Delta p}$$ donde: S = sección de paso del inyector

                                              C_D = coeficiente de descarga

La sección de paso en el inyector, S_{iny}:
$$S_{iny} = \frac{\pi \cdot d^2}{4} = \frac{\pi \cdot 0{,}035^2}{4} = 9{,}62 \cdot 10^{-4}\ cm^2$$

Flujo de combustible: $\dot{m}_c = C_D \cdot S_{iny} \cdot \sqrt{2 \cdot \delta_{gasoil} \cdot \Delta p}$ $\rightarrow$ $\Delta p = \left[\dfrac{\dot{m}_c}{C_D \cdot S_{iny}}\right]^2 \cdot \dfrac{1}{2 \cdot \delta_{gasoil}}$

$$\Delta p = \left[\frac{3{,}72 \dfrac{g}{s}}{0{,}85 \cdot 9{,}62 \cdot 10^{-4}\, cm^2}\right]^2 \cdot \frac{1}{2 \cdot 0{,}84 \dfrac{g}{cm^3}}$$

$$\Delta p = 12{,}32 \cdot 10^6 \frac{g^2 \cdot cm^3}{s^2 \cdot cm^4 \cdot g} = 12{,}32 \cdot 10^6 \frac{g}{s^2 \cdot cm}$$

$$\Delta p = 12{,}32 \cdot 10^6 \frac{g \cdot \dfrac{1}{1000}\dfrac{kg}{g}}{s^2 \cdot cm \cdot \dfrac{1}{100}\dfrac{m}{cm}} = 1{,}232 \cdot 10^6 \frac{kg}{s^2 \cdot m}$$

Si tenemos en cuenta que $1\ N = 1\ kg \cdot \dfrac{m}{s^2}$ $\rightarrow$ $1\ kg = 1 \dfrac{N \cdot s^2}{m}$, finalmente

$$\Delta p = 1{,}232 \cdot 10^6 \cdot \frac{N}{m^2} = 12{,}32\ bar$$

4.- Un motor Diesel de 4T sobrealimentado con una cilindrada de 5000 cm^3 trabaja a 4000 r/min absorbiendo 18 kg/min de aire. Los rendimientos isentrópico y mecánico del turbocompresor son 0,94 y 0,88 respectivamente. Se desea que el aire entre en los cilindros a 70 ºC y 1,75 bar. La relación en masa de aire/combustible es de 36/1. El consumo específico es 240 g/kW·h. Las condiciones ambientales son: T_0 = 27 ºC y p_0 = 0,98 bar; PCI = 42000 kJ/kg; exponente adiabático γ = 1,41; C_p aire = 1,0 kJ/kg·K. Determinar:

1. La potencia del motor.
2. La potencia calorífica extraída al aire en el intercambiador de calor (intercooler).
3. La potencia requerida por el turbocompresor.

1.- La potencia efectiva del motor es $N_e = \dfrac{C_h}{C_e}$; obtendremos previamente el consumo horario de combustible.

Consumo de aire $18 \dfrac{kg}{min}$ $\rightarrow$ Consumo de combustible $= \dfrac{18 \dfrac{kg_a}{min}}{36 \dfrac{kg_a}{kg_c}} = 0,5 \dfrac{kg_c}{min}$

Consumo horario de combustible: $C_h = 0,5 \dfrac{kg_c}{min} \cdot 60 \dfrac{min}{h} = 30 \dfrac{kg_c}{h}$

Potencia efectiva: $\qquad N_e = \dfrac{C_h}{C_e} = \dfrac{30000 \dfrac{g_c}{h}}{240 \dfrac{g_c}{kW \cdot h}} = 125 \ kW$

2.- La temperatura al final de la compresión, T_{fs}, en el turboalimentador para un proceso isentrópico vale:

$$T_{fs} = T_o \cdot \left(\dfrac{p_f}{p_o}\right)^{\frac{\gamma-1}{\gamma}} \rightarrow T_{fs} = (273+27) \cdot \left(\dfrac{1,75}{0,98}\right)^{\frac{1,41-1}{1,41}} = 355,1 \ K = 82,1 \ ºC$$

El rendimiento isentrópico $\eta_s = 0,94$ se define como: $\eta_s = \dfrac{T_{fs} - T_o}{T_{fr} - T_o} = \dfrac{355,1 - 300}{T_{fr} - 300} = 0,94$

Por tanto, la temperatura real en el turboalimentador, será: $T_{fr} = 358,6 \ K$

La potencia calorífica perdida en el enfriador intermedio (intercooler) será:

$$\overset{\bullet}{Q}_{int} = \overset{\bullet}{m_a} \cdot C_p \cdot (T_{fr} - T_1)$$

Como se desea que el aire entre en los cilindros a 70 ºC $\rightarrow$ $T_1 = 70 + 273 = 343 \ K$, finalmente la potencia calorífica en el intercooler será:

$$\dot{Q}_{int} = \frac{18}{60} \frac{kg}{s} \cdot 1 \frac{kJ}{kg \cdot K} \cdot (358,6 - 343) \ K = 4,7 \ kW$$

3.- La potencia de accionamiento del turbocompresor vale:

$$N_{tc} = \frac{\dot{m}_a \cdot C_p \cdot (T_{fr} - T_o)}{\eta_m} = \frac{18 \frac{kg}{min} \cdot 1 \frac{kJ}{kg \cdot K} \cdot (358,6 - 300) \ K}{60 \frac{s}{min} \cdot 0,88} = 20 \ kW$$

5.- Una bomba de inyección en línea ha de alimentar un motor Diesel de 4T y 6 cilindros proporcionando un caudal máximo de 30 l/min a 1750 r/min del motor. Cada émbolo tiene un primer tramo recto vertical de 1 mm y un segundo tramo en forma de hélice de tal manera que ha de girar 120° sobre su eje para proporcionar el caudal máximo. El diámetro de la cabeza del émbolo vale 4 mm. Se pide:

> 1.- Longitud máxima recorrida por cada émbolo para suministar el caudal máximo si el rendimiento volumétrico de la bomba es 0,9.
> 2.- Ángulo de la hélice.
> 3.- Ángulo girado por cada émbolo para proporcionar una potencia efectiva de 60 kW si C_e = 240 g/kW·h y n = 2000 r/min. (δ_{gasoil} = 0,84 kg/l).

1.- Desarrollo del cilindro correspondiente al émbolo

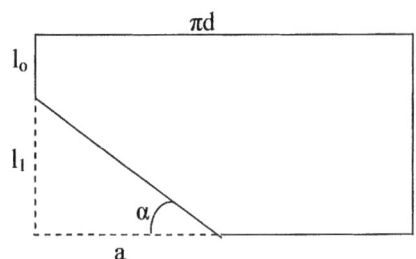

$$a = \pi \cdot d \cdot \frac{\theta_{max}}{360}$$

$$l_{max} = l_0 + l_1$$

$$l_1 = a \cdot tg\alpha$$

$$l_{max} = l_o + \frac{\pi \cdot d \cdot \theta_{max}}{360} \cdot tg\alpha \qquad l_x = l_o + \frac{\pi d \cdot \theta_x}{360} \cdot tg\alpha$$

Volumen máximo inyectado:
$$V_{max} = \frac{\pi \cdot d^2}{4}(l_o + \frac{\pi \cdot d \cdot \theta_{max}}{360} \cdot tg\alpha) \cdot \eta_{vb}$$

Volumen inyectado para una longitud eficaz l_x:
$$V_x = \frac{\pi \cdot d^2}{4}(l_o + \frac{\pi d \cdot \theta_x}{360} \cdot tg\alpha) \cdot \eta_{vb}$$

El consumo horario máximo:
$$C_h = 30 \frac{l}{h}$$

Consumo por ciclo y cilindro de la bomba inyectado:

$$C_{ccb} = \frac{30000 \frac{cm^3}{h} \cdot 1000 \frac{mm^3}{cm^3}}{\frac{1750\ ciclos}{2\ min} \cdot 60 \frac{min}{h} \cdot 6\ cilindros \cdot 0,9} = 105,82 \frac{mm^3}{ciclo \cdot [cilindro]}$$

La altura máxima del émbolo es: $\quad l_{max} = \dfrac{105,82 \ mm^3}{\dfrac{\pi 4^2}{4} \ mm^2} = 8,42 \ mm$

Como $l_0 = 1 \ mm$

$l_1 = 8,42 - 1 = 7,42 \ mm \qquad l_1 = \dfrac{\pi \cdot d \cdot \vartheta_{max}}{360} \cdot tg\alpha \quad \rightarrow \quad tg\alpha = \dfrac{360 \cdot 7,42}{\pi \cdot 4 \cdot 120} = 1,77$

$\alpha = 60°$

Para una potencia de 60 kW el consumo horario vale:

$$C_h = 60 \ kW \cdot 240 \dfrac{g}{kW \cdot h} \cdot \dfrac{1}{0,84} \dfrac{cm^3}{g} = 17143 \dfrac{cm^3}{h}$$

Caudal inyectado por ciclo y cilindro de la bomba:

$$C_{ccb} = \dfrac{17143 \dfrac{cm^3}{h} \cdot 1000 \dfrac{mm^3}{cm^3}}{\dfrac{2000}{2} \dfrac{ciclos}{min} \cdot 60 \dfrac{min}{h} \cdot 6 \ cilindros \cdot 0,9} = 52,91 \dfrac{mm^3}{ciclo \cdot cilindro}$$

$$52,91 = \dfrac{\pi 4^2}{4} \cdot (1 + \dfrac{\pi 4 \cdot \theta}{360}) \cdot tg60 \qquad \theta = 33,2 \ °$$

6.- Un motor de gasolina de 4 tiempos tiene un carburador simple con un difusor de diámetro D = 22 mm y un calibre de diámetro d = 1,5 mm. La diferencia de nivel entre la salida del combustible y el nivel de la cuba es de 5 mm. Si la densidad del combustible es de δ_c = 0,8 kg/dm^3 y la del aire es de δ_a = 1,2 kg/m^3 y el coeficiente de flujo del difusor C_d = 0,85 y el del calibre C_c = 0,75, para un factor de compresibilidad del aire de Φ_d = 0,95, se pide calcular:

1.- La relación de la mezcla, sabiendo que la depresión es de 95 N/m^2.
2.- La depresión para que se proporcione la relación estequiométrica de 15,3 y comentar el resultado obtenido.

1.- La relación de la mezcla es el cociente entre el flujo de aire y el flujo de combustible.

Por tanto, para calcular la relación de la mezcla, debemos calcular primero los flujos de aire y de combustible. A su vez, para calcular estos flujos debemos conocer las áreas del difusor y del calibre:

Sección del difusor: $S_D = \dfrac{\pi \cdot D^2}{4} = 3,8013 \cdot 10^{-4} \, m^2$

Sección del calibre: $S_c = \dfrac{\pi \cdot d^2}{4} = 1,7671 \cdot 10^{-6} \, m^2$

El flujo de aire en el difusor es:

$$\overset{\bullet}{m}_a = C_d \cdot S_D \cdot \delta_a \cdot \phi_d \sqrt{2 \cdot \dfrac{\Delta p}{\delta_a}} = 0,85 \cdot 3,8013 \cdot 10^{-4} \cdot 1,2 \cdot 0,95 \sqrt{2 \cdot \dfrac{95}{1,2}} = 4,7543 \cdot 10^{-4} \sqrt{\Delta p}$$

El flujo de combustible es:

$$\overset{\bullet}{m}_c = C_c \cdot S_c \cdot \delta_c \sqrt{2 \cdot \left(\dfrac{\Delta p}{\delta_c} - g \cdot h \right)} = 0,75 \cdot 1,7671 \cdot 10^{-6} \sqrt{2 \cdot \left(\dfrac{\Delta p}{1,2} - 9,81 \cdot 0,005 \right)} = 5,1330 \cdot 10^{-5} \sqrt{\Delta p - 0,04905}$$

La relación de la mezcla será:

$$R_m = \dfrac{\overset{\bullet}{m}_a}{\overset{\bullet}{m}_c} = \dfrac{47,543}{5,133} \sqrt{\dfrac{\Delta p}{\Delta p - 0,0495}} = \dfrac{47,543}{5,133} \sqrt{\dfrac{95}{95 - 0,0495}} = 9,2665$$

Es una mezcla pobre, por que el diámetro del difusor es pequeño, debería ser más grande. El motor carburaría mal.

2.- En el apartado anterior se obtuvo que la relación de la mezcla, en función del incremento de presión era:

$$R_m = \frac{\overset{\bullet}{m_a}}{\overset{\bullet}{m_c}} = \frac{47{,}543}{5{,}133}\sqrt{\frac{\Delta p}{\Delta p - 0{,}0495}} \quad \rightarrow \quad 15{,}3 = 9{,}2641\sqrt{\frac{\Delta p}{\Delta p - 0{,}0495}}$$

$$\Delta p = 0{,}0774 \ \frac{N}{m^2}$$

Es un valor muy pequeño, irreal. El motivo, como se señaló en el problema anterior es que el diámetro del difusor es pequeño.

7.-Un motor de gasolina de 4 tiempos, 1000 cm^3 de cilindrada tiene un carburador simple cuyo diámetro de difusor es D = 28 mm y de calibre d = 1,5 mm. La diferencia de nivel entre la salida del combustible y el nivel de la cuba es de 5 mm. Si la densidad del combustible es de δ_g = 0,75 kg/dm^3 ya la del aire es de δ_a = 1,2 kg/m^3 y el coeficiente de flujo del difuso es 0,95 y el del calibre C_c = 0,75 para un factor de compresibilidad del aire de C_D = 0,95 se pide calcular la relación de la mezcla siendo la depresión de 95 N/m^2.

Sección del difusor: $\quad S_D = \dfrac{\pi \cdot D^2}{4} = 6{,}1575 \cdot 10^{-4} m^2$

Sección del calibre: $\quad S_c = \dfrac{\pi \cdot d^2}{4} = 1{,}7671 \cdot 10^{-6} m^2$

El flujo de aire en el difusor es:

$$\overset{\bullet}{m}_a = C_d \cdot S_D \cdot \delta_a \cdot \phi_d \cdot \sqrt{2 \cdot \frac{\Delta p}{\delta_a}} = 0{,}85 \cdot 6{,}1575 \cdot 10^{-4} \cdot 1{,}2 \cdot 0{,}95 \cdot \sqrt{2 \cdot \frac{\Delta p}{1{,}2}} = 7{,}7029 \cdot 10^{-4} \cdot \sqrt{\Delta p}$$

El flujo de combustible es:

$$\overset{\bullet}{m}_c = C_c \cdot S_c \cdot \delta_c \cdot \sqrt{2 \cdot \left(\frac{\Delta p}{\delta_c} - g \cdot h \right)} = 0{,}75 \cdot 1{,}7671 \cdot 10^{-6} \cdot \sqrt{2 \cdot \left(\frac{\Delta p}{1{,}2} - 9{,}81 \cdot 0{,}005 \right)}$$

$$\overset{\bullet}{m}_c = 5{,}1330 \cdot 10^{-5} \cdot \sqrt{\Delta p - 0{,}04905}$$

La relación de la mezcla será:

$$R_m = \frac{\overset{\bullet}{m}_a}{\overset{\bullet}{m}_c} = \frac{77{,}029}{5{,}133} \cdot \sqrt{\frac{\Delta p}{\Delta p - 0{,}0495}} = 15{,}006 \cdot \sqrt{\frac{\Delta p}{\Delta p - 0{,}0495}} \approx 15{,}006$$

6

COMBUSTIÓN, REACCIONES DE COMBUSTIÓN Y CONTAMINANTES

Introducción

La combustión es un proceso químico exotémico en el que se combinan un combustible sólido (leñas, astillas, madera, pelets, carbón mineral o vegetal, …), líquido (gasoil, gasolina, bioetanol, biodiesel,…) o gaseoso (GLP (gas licuado del petróleo), biogás, gas natural,…) con un comburente y con una fuente de ignición.

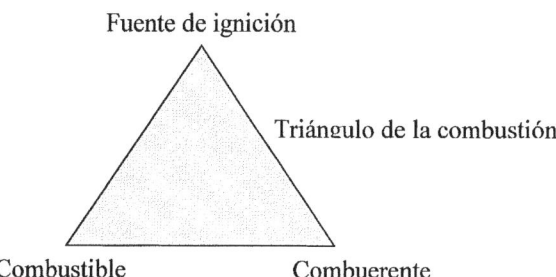

En los motores de combustión interna (mci):

- El combustible es líquido y puede ser fósil y procedente del petróleo (gasoil, gasolina, …) o renovable (son los biocombustibles como el bioetanol, biosiesel, e-diesel, aceites vegetales,…) o mezclas de gasolina con bioetanol o de gasoil con biodiesel.

- El comburente es el oxígeno, contenido en el aire en una proporción cercana al 22%.

- La fuente de ignición es variable:

    1.- En los motores de encendido por chispa (motores de ciclo Otto) es la chispa originada por una bujía.
    2.- En los motores de encendido por compresión o de ciclo Diesel es la alta presión dentro del motor la que hace que se inflame por sí misma la mezcla de aire – combustible.

Los combustibles, en su composición química, tienen carbono, oxígeno, nitrógeno, hidrógeno, azufre y otros elementos químicos en menores cantidades. El carbono, en la combustión, cuando se mezcla con el oxígeno del aire produce dióxido de carbono, también llamado anhídrido carbónico (CO_2) si la combustión es completa y monóxido de carbono o anhídrido carbonoso (CO) si la combustión es incompleta.

El hidrógeno, en la combustión, al mezclarse con el oxígeno del aire produce agua. Los otros elementos químicos existentes en distintas proporciones, según el combustible, suelen ser los ya citados a los que se une a veces el cloro y ciertos metales. La combustión del azufre produce SO_2, que mezclado con el aire y con el vapor de agua de la atmósfera se puede transformar en ácido sulfúrico. La combustión del nitrógeno puede producir diferentes óxidos de nitrógeno (NO_x). En algunos casos también se pueden producir estos óxidos de nitrógeno aunque el combustible no tenga nitrógeno, el nitrógeno procede, en esas circustancias, del aire atmosférico que entra en el motor.

Ejercicios resueltos.

1.- El análisis en volumen (m^3) de los gases de escape en base seca de un motor de cuatro tiempos ha dado el siguiente resultado:

Dióxido de carbono (CO_2) = 22 m^3
Monóxido de carbono (CO) = 0,8 m^3
Monóxido de nitrógeno (NO) = 0,6 m^3
Dióxido de nitrógeno (NO_2) = 0,9 m^3
Oxígeno (O_2) = 3 m^3
Nitrógeno (N_2) = ?

El combustible utilizado tiene la siguiente composición:

Hidrógeno; H_2 = 10%
Metanol; CH_3OH = 50%
Acetileno; C_2H_2 = 30%
Metano; CH_4 = 10%

Se pide:

1) El volumen de N_2 obtenido en el análisis de los gases de escape.
2) La composición porcentual volumétrica de los gases de escape en base seca.
3) La relación aire-combustible.
4) La relación estequiométrica indicando si la reacción es rica o pobre.

———————————

1.- La reacción química que define la combustión producida es la siguiente:

$$x \cdot (10H_2 + 30C_2H_2 + 50CH_3OH + 10CH_4) + y \cdot (O_2 + 3,76N_2) \rightarrow$$
$$22CO_2 + 0,8CO + 0,6NO + 0,9NO_2 + 3O_2 + aN_2 + bH_2O$$

La expresión $O_2 + 3,76N_2$ es la correspondiente a la composición del aire, en la que conocemos que el porcentaje de oxígeno es aproximadamente un 21% y el porcentaje de nitrógeno es un aproximadamente 79%.

Los valores x e y son el número de moles de combustible y aire respectivamente que se necesitan para obtener como resultado de la combustión los productos indicados. Los valores a y b corresponden a los volúmenes de nitrógeno y agua que se obtienen tras la combustión.

1) El volumen de N_2 en base seca obtenido en el análisis de los gases de escape se obtiene como resultado del ajuste de la reacción de combustión.

Para ajustar la reacción de combustión, se realizan los balances individuales de cada elemento en la ecuación, es decir, el carbono, hidrógeno, oxígeno y nitrógeno por separado.

Los balances tienen en consideración la cantidad de cada componente del combustible, el volumen de los productos de la combustión y el número de átomos que contiene cada molécula que compone la reacción. De esta forma, para el carbono el ajuste tiene en cuenta que el combustible está compuesto por 30 moles de acetileno, que contiene dos átomos de carbono, 50 moles de metanol, que contiene un átomo de carbono y 10 moles de metano, que contiene un átomo de carbono. En los productos de la combustión, el carbono ha pasado a 22 metros cúbicos de dióxido de carbono, que contiene un átomo de carbono, y 0,8 metros cúbicos de monóxido de carbono, que contiene un átomo de carbono. La incógnita x, corresponde al número de moles de combustible necesario para obtener los productos de la combustión resultado.

Carbono. $\quad x \cdot (2 \cdot 30 + 50 + 10) = 22 + 0,8$ $\qquad\qquad\qquad x = 0,19\ m^3$

Con el resto de elementos se razona de la misma forma que para el carbono, obteniendo las siguientes expresiones:

Hidrógeno $\quad x \cdot (2 \cdot 10 + 2 \cdot 30 + 4 \cdot 50 + 4 \cdot 10) = 2 \cdot b$ $\qquad b = 30,40\ m^3$

Oxígeno $\quad x \cdot 50 + y \cdot 2 = 2 \cdot 22 + 0,8 + 0,6 + 2 \cdot 0,9 + 2 \cdot 3 + b$ $\qquad y = 37,05\ m^3$

Nitrógeno $\quad y \cdot 2 \cdot 3,76 = 2 \cdot a + 0,6 + 0,9$ $\qquad\qquad\qquad a = 138,56\ m^3$

Los gases de escape de la reacción de combustión tiene la siguiente composición:

$$22 \cdot CO_2 + 0,8 CO + 0,6 NO + 0,9 NO_2 + 3 O_2 + 138,56 N_2 = 165,86$$

Entonces, el volumen de nitrógeno obtenido ha resultado ser 138,56 m^3.

Para obtener la composición porcentual de los productos de la combustión, bastará dividir los volúmenes de cada producto, por el factor en base seca en tanto por uno, que para nuestro caso será 1,6586. De esta forma, la composición resultante en base seca de los productos de la combustión será la siguiente:

$CO_2 = 13,26\ \%$ $\qquad\qquad\qquad\qquad NO_2 = 0,54\ \%$

$CO = 0,48\ \%$ $\qquad\qquad\qquad\qquad O_2 = 1,81\ \%$

$NO = 0,36\ \%$ $\qquad\qquad\qquad\qquad N_2 = 83,54\ \%$

Podemos expresar la cantidad de aire y combustible referido a la composición centesimal, dividiendo los valores x e y obtenidos inicialmente por el factor en base seca indicado:

$$x_c = \frac{0,19}{1,6586} = 0,11 \qquad\qquad y_c = \frac{37,05}{1,6586} = 22,34$$

Para calcular la cantidad de combustible y de aire necesaria para la obtención de los productos de la combustión se utiliza los valores de x e y, moles de combustible y aire respectivamente y los pesos moleculares, en gramos/mol, de cada elemento químico.

Cantidad de combustible

$$x \cdot (10H_2 + 30C_2H_2 + 50CH_3OH + 10CH_4)$$

$$0,19 \cdot [10 \cdot 2 + 30 \cdot (2 \cdot 12 + 2) + 50 \cdot (12 + 4 + 16) + 10 \cdot (12 + 4)] = 486,4g$$

Si obtenemos la cantidad de combustible en número de moles:

Nº moles de combustible = $0,19 \cdot 100 = 19 \ mol$

Cantidad de aire

$$y \cdot (O_2 + 3,76N_2)$$

$$37,05 \cdot [2 \cdot 16 + 3,76 \cdot 2 \cdot 14] = 5086,22g$$

Si obtenemos la cantidad de aire en número de moles:

Nº moles de aire = $37.05 \cdot 4,76 = 176,36 \ mol$

Para obtener la relación aire-combustible (másica o molar):

$$AC = \frac{m_{aire}}{m_{combustible}}$$

La relación másica aire-combustible: La relación molar aire-combustible:

$$AC_{masica} = \frac{5086,22g}{486,4g} = 10,46 \qquad AC_{molar} = \frac{176,36mol}{19mol} = 9,28$$

4.- Realizamos a continuación el ajuste estequiométrico. Vamos a calcular la cantidad de aire necesario para pasar la unidad de combustible a los productos de combustión CO_2, H_2O y N_2 mediante una combustión completa.

La reacción química que define la combustión completa es la siguiente:

$$10 \ H_2 + 30 \ C_2H_2 + 50 \ CH_3OH + 10 \ CH_4 + y \ (O_2 + 3,76N_2) \rightarrow a \ CO_2 + b \ H_2O + c \ N_2$$

Para ajustar la reacción, realizamos los balances individuales de cada elemento en la ecuación, es decir, carbono, hidrógeno, oxígeno y nitrógeno por separado. Las expresiones de los ajustes se obtienen de igual forma a la indicada en el apartado anterior.

Carbono	$2 \cdot 30 + 50 + 10 = a$	$a = 120 \ m^3$
Hidrógeno	$2 \cdot 10 + 2 \cdot 30 + 4 \cdot 50 + 4 \cdot 10 = 2 \cdot b$	$b = 160 \ m^3$
Oxígeno	$50 + y \cdot 2 = 2 \cdot a + b$	$y = 175 \ m^3$
Nitrógeno	$y \cdot 2 \cdot 3,76 = 2 \cdot c$	$c = 658 \ m^3$

A partir de estos resultados vamos a calcular la relación teórica aire-combustible, que nos indica la cantidad de aire que necesita un combustible para que se de la reacción de combustión completa o teórica.

Para el cálculo de la cantidad de aire necesaria para la realización de la combustión completa vamos a utilizar el valor de y, obtenido anteriormente, y los pesos moleculares de los elementos químicos. Para el combustible hemos partido de la unidad de combustible.

Cantidad de combustible

$$10\ H_2 + 30\ C_2H_2 + 50\ CH_3OH + 10\ CH_4$$

$$10\cdot2 + 30\cdot(2\cdot12 + 2) + 50\cdot(12 + 4 + 16) + 10\cdot(12 + 4) = 2560\ g$$

Si obtenemos la cantidad de combustible en número de moles:

N° moles de combustible $= 1\cdot100 = 100$ mol

Cantidad de aire

$$y\ (O_2 + 3,76N_2)$$

$$175\cdot(2\cdot16 + 3,76\cdot2\cdot14) = 24024\ g$$

Si obtenemos la cantidad de aire en número de moles:

N° moles de aire $= 175\cdot4,76 = 833\ mol$

Para obtener la relación aire-combustible (másica o molar):

$$AC_{teor.} = \frac{m_{aire}}{m_{combustible}}$$

La relación másica aire-combustible:

$$AC_{teor.masica} = \frac{24024\ g}{2560\ g} = 9,38$$

La relación molar aire-combustible:

$$AC_{teor.molar} = \frac{833\ mol}{100\ mol} = 8,33$$

Para comprobar si la mezcla es rica o pobre, calculamos el dosado relativo:

$$F_R = \frac{1/AC}{1/AC_{teorico}} = 0,90$$

Dado que el dosado relativo es menor que la unidad, diremos que la mezcla de aire y combustible es una **mezcla pobre.**

2.- El análisis en volumen (m³) de los gases de escape, en base seca, de un motor de cuatro tiempos ha dado el siguiente resultado:

Dióxido de carbono (CO_2) = 20 m³
Monóxido de carbono (CO) = 0,06 m³
Monóxido de nitrógeno (NO) = 0,08 m³
Dióxido de nitrógeno (NO_2) = 0,1 m³
Oxígeno (O_2) = 2,5 m³
Nitrógeno (N_2) = ?

El combustible utilizado tiene la siguiente composición en peso:

Octeno (C_8H_{16}) = 40%
Nonano (C_9H_{20}) = 50%
Hexano (C_6H_{14}) = 10%

Determinar:

1) La composición porcentual volumétrica de los gases de escape en base seca.
2) La relación aire-combustible
3) La relación estequiométrica indicando si la reacción es rica o pobre.
4) Calcular la composición centesimal de carbono e hidrógeno en el combustible.

La composición del combustible viene dado en peso, por lo que se puede decir que un gramo de combustible contiene 0,4g de C_8H_{16}, 0,5g de C_9H_{20} y 0,1g de C_6H_{14}; o bien, un kilogramo de combustible contiene 400g de C_8H_{16}, 500g de C_9H_{20} y 100g de C_6H_{14}

Los pesos moleculares de cada compuesto, y el número de moles de cada molécula son los siguientes:

Para el opteno (C_8H_{16}):

Peso molecular

$$12\frac{g}{mol}\cdot 8 + 1\frac{g}{mol}\cdot 16 = 112\frac{g}{mol}$$

Número de moles

$$n_{C8H16} = \frac{400\ g}{112\frac{g}{mol}} = 3,57\ mol$$

Para el nonano (C_9H_{20}):

Peso molecular

$$12\frac{g}{mol}\cdot 9 + 1\frac{g}{mol}\cdot 20 = 128\frac{g}{mol}$$

Número de moles

$$n_{C9H20} = \frac{500\ g}{128\frac{g}{mol}} = 3,90\ mol$$

Para el hexano (C_6H_{14}):

Peso molecular

$$12\frac{g}{mol}\cdot 6 + 1\frac{g}{mol}\cdot 14 = 86\frac{g}{mol}$$

Número de moles

$$n_{C6H14} = \frac{100\ g}{86\frac{g}{mol}} = 1,16\ mol$$

$$x \cdot (3,57 \ C_8H_{16} + 3,90 \ C_9H_{20} + 1,16 \ C_6H_{14}) + y \cdot (O_2 + 3,76 \ N_2) \rightarrow$$
$$20 \ CO_2 + 0,06 \ CO + 0,08 \ NO + 0,1 \ NO_2 + 2,5 \ O_2 + a \ N_2 + b \ H_2O$$

Los valores x e y indican la cantidad de combustible y aire respectivamente que se necesitan para obtener como resultado de la combustión los productos indicados. Los valores a y b corresponden a los volúmenes de nitrógeno y agua que se obtiene tras la combustión.

Para obtener la relación aire-combustible ajustamos la reacción de combustión, realizando los balances individuales de carbono, hidrógeno, oxígeno y nitrógeno por separado.

Los balances tienen en consideración la cantidad de cada elemento y el número de átomos que contiene cada molécula que compone la reacción. De esta forma, para el carbono el ajuste tiene en cuenta que el combustible está compuesto por 3,57 moles de octeno, que contienen ocho átomos de carbono, 3,90 moles de nonano, que contienen nueve átomos de carbono y 1,162 moles de hexano, que contienen seis átomo de carbono.

En los productos de la combustión, el carbono ha pasado a 20 m^3 de dióxido de carbono, que contiene un átomo de carbono, y 0,06 m^3 de monóxido de carbono, que contiene un átomo de carbono. La incógnita x, corresponde la cantidad de combustible necesario para obtener los productos de la combustión resultado.

De la misma forma se razona para los demás elementos, obteniendo las siguientes expresiones:

Carbono	$x \cdot (8 \cdot 3,57 + 9 \cdot 3,90 + 6 \cdot 1,16) = 20 + 0,06$	$x = 0,28 \ m^3$
Hidrógeno	$x \cdot (16 \cdot 3,57 + 20 \cdot 3,90 + 14 \cdot 1,16) = 2 \cdot b$	$b = 21,19 \ m^3$
Oxígeno	$y \cdot 2 = 2 \cdot 20 + 0,06 + 0,08 + 2 \cdot 0,1 + 2 \cdot 2,5 + b$	$y = 33,26 \ m^3$
Nitrógeno	$y \cdot 2 \cdot 3,76 = 0,08 + 0,1 + 2 \cdot a$	$a = 124,98 \ m^3$

La suma de los volúmenes de los productos resultantes en base seca es:

$$20 \ CO_2 + 0,06 \ CO + 0,08 \ NO + 0,1 \ NO_2 + 2,5 \ O_2 + 124,98 \ N_2 = 147,72$$

Entonces, el volumen de nitrógeno obtenido ha resultado ser 124,98 m^3.

1. Para obtener la composición centesimal de los productos de la combustión, bastará dividir los porcentajes iniciales de cada producto, por el factor en base seca en tanto por uno correspondiente a la suma de los productos de la combustión (1,4772). De esta forma, la composición resultante en base seca de los productos de combustión será:

$CO_2 = 13,54 \ \%$	$NO_2 = 0,07 \ \%$
$CO = 0,04 \ \%$	$O_2 = 1,69 \ \%$
$NO = 0,05 \ \%$	$N_2 = 84,60 \ \%$

2. La cantidad de combustible y de aire necesaria para la obtención de los productos de la combustión, se obtiene a partir de los valores de x e y, en moles obtenidos anteriormente y los pesos moleculares, en gramos/mol, de los elementos químicos.

Combustible

$$x \cdot (3,57 \ C_8H_{16} + 3,90 \ C_9H_{20} + 1,16 \ C_6H_{14})$$

$$0,28 \left[3,57 \cdot (12 \cdot 8 + 16) + 3,90 \cdot (12 \cdot 9 + 20) + 1,16 \cdot (12 \cdot 6 + 14) \right] = 279,66 g$$

Aire

$$y \cdot (O_2 + 3,76 N_2) ;$$

$$33,26 \cdot (2 \cdot 16 + 3,76 \cdot 2 \cdot 14) = 4565,93 \ g$$

Para obtener la relación másica aire-combustible:

$$AC = \frac{m_{aire}}{m_{combustible}} \qquad AC_{masica} = \frac{4565,93 \ g}{279,66 \ g} = 16,32$$

3.- En este apartado realizamos el ajuste estequiométrico, dosado estequiométrico. Calculamos la cantidad de aire necesario para pasar la unidad de combustible a los productos de combustión: CO_2, H_2O y N_2 mediante una combustión completa.

La reacción química que describe la combustión completa es la siguiente:

$$3,57 \ C_8H_{16} + 3,90 \ C_9H_{20} + 1,16 \ C_6H_{14} + y \cdot (O_2 + 3,76 \ N_2) \rightarrow a \ CO_2 + b \ H_2O + c \ N_2$$

Para ajustar la reacción, realizamos los balances individuales de cada elemento en la ecuación. Las expresiones de los ajustes se obtienen de igual forma a la indicada en el apartado anterior.

Carbono	$8 \cdot 3,57 + 9 \cdot 3,90 + 6 \cdot 1,16 = a$	$a = 70,62 \ m^3$
Hidrógeno	$16 \cdot 3,57 + 20 \cdot 3,90 + 14 \cdot 1,16 = 2 \cdot b$	$b = 75,68 \ m^3$
Oxígeno	$y \cdot 2 = 2 \cdot a + b$	$y = 108,46 \ m^3$
Nitrógeno	$y \cdot 2 \cdot 3,76 = 2 \cdot c$	$c = 407,81 \ m^3$

A partir de estos resultados vamos a calcular la relación teórica aire-combustible, que nos indica la cantidad de aire necesario por un combustible para que se de la reacción de combustión completa o teórica.

Para el cálculo de la cantidad aire necesaria para la realización de la combustión completa vamos a utilizar el valor de y, obtenido anteriormente y los pesos moleculares, conocidos, de los elementos químicos. Para el combustible hemos partido de la unidad de combustible.

Combustible

$$x \cdot (3,57 \ C_8H_{16} + 3,90 \ C_9H_{20} + 1,162 \ C_6H_{14}) ;$$

$$\left[3,57 \cdot (12 \cdot 8 + 16) + 3,90 \cdot (12 \cdot 9 + 20) + 1,16 \cdot (12 \cdot 6 + 14) \right] = 998,8 g$$

Aire

$$y \cdot (O_2 + 3,76 N_2) ;$$

$$108,46 \cdot (2 \cdot 16 + 3,76 \cdot 2 \cdot 14) = 14889,39 \ g$$

Para obtener la relación másica aire-combustible :

$$AC_{teor.} = \frac{m_{aire}}{m_{combustible}} \qquad\qquad AC_{teor.masica} = \frac{14890,76 \ g}{998,8 \ g} = 14,90$$

Para comprobar si la mezcla es rica o pobre, calculamos el dosado relativo:

$$F_R = \frac{1/AC}{1/AC_{teorico}} = 0,91$$

Dado que el dosado relativo es menor que la unidad, diremos que la mezcla de aire y combustible es una **mezcla pobre.**

4.- Vamos a calcular a continuación la cantidad de carbono y de hidrógeno que contiene el combustible. Para ello tendremos en consideración el número de moles de cada compuesto, el número de átomos de cada molécula, y los pesos moleculares:

$$3,57 \ C_8H_{16} + 3,90 \ C_9H_{20} + 1,16 \ C_6H_{14}$$

Carbono: $8 \cdot 3,57 + 9 \cdot 3,90 + 6 \cdot 1,16 = 70,62 \ g$

Hidrógeno: $16 \cdot 3,57 + 20 \cdot 3,90 + 14 \cdot 1,16 = 151,36 \ g$

Entonces, la cantidad de carbono e hidrógeno del combustible en moles será:

$$70,62 \cdot C + 151,36 \cdot H$$

La suma total de moles de carbono e hidrógeno en el combustible es 221,98. Para obtener la composición centesimal de cada uno de los dos elementos en el combustible, deberemos dividir el número de moles que tenemos, por el factor en tanto por uno, 2,2198.

Porcentaje de carbono: 31,81%;   Porcentaje de hidrógeno: 68,19%

Si consideramos la reacción de combustión completa para la unidad de combustible:

$$70,63 \ C + 151,38 \ H + y \cdot (O_2 + 3,76 \ N_2) \rightarrow a \ CO_2 + b \ H_2O + c \ N_2$$

Realizando los balances individuales:

Carbono	$70,62 = a$	$a = 70,62 \ m^3$
Hidrógeno	$151,36 = 2 \cdot b$	$b = 75,68 \ m^3$
Oxígeno	$2 \cdot y = 2 \cdot a + b$	$y = 108,46 \ m^3$
Nitrógeno	$2 \cdot y \cdot 3,76 \ mol = 2 \cdot c$	$c = 407,81 \ m^3$

3.- El análisis de los gases de escape en base seca de un motor de cuatro tiempos ha dado el siguiente resultado:

$CO_2 = 8,2\%$ $O_2 = 4,1\%$
$CO = 0,6\%$ $N_2 = ?$

El combustible utilizado tiene la siguiente composición:

$H_2 = 40\%$ $CH_4 = 30\%$
$C_2H_6 = 20\%$ $N_2 = 10\%$

Se pide:

1) El porcentaje de N_2 obtenido en el análisis de los gases de escape.
2) La relación aire-combustible
3) La relación estequiométrica indicando si la reacción es rica o pobre.

La reacción química que define la combustión producida es la siguiente:

$$x \cdot (40\ H_2 + 30\ CH_4 + 20\ C_2H_6 + 10\ N_2) + y \cdot (O_2 + 3,76\ N_2) \rightarrow$$
$$8,2\ CO_2 + 0,6\ CO + 4,1\ O_2 + a\ N_2 + b\ H_2O$$

Los valores x e y son el número de moles de combustible y aire respectivamente que se necesitan para obtener como resultado de la combustión los productos indicados. Los valores a y b corresponden a los porcentajes de nitrógeno y agua que se obtienen tras la combustión.

1.- Para obtener el porcentaje de N_2 en base seca obtenido en la reacción de combustión, consideramos que la suma de todos los productos de la combustión deben sumar el 100%.

El porcentaje de nitrógeno será:

$N_2 = 100\ \% - 8,2\ \% - 0,6\ \% - 4,1\ \% = 87,1\ \%$

2.- Para obtener la relación aire-combustible se ajusta la ecuación de combustión. Para ello realizamos los balances individuales de cada elemento en la ecuación, es decir, el carbono, hidrógeno, oxígeno y nitrógeno por separado.

Carbono.	$x \cdot (30 + 2 \cdot 20) = 8,2 + 0,6$	$x = 0,126\ mol$
Hidrógeno	$x \cdot (2 \cdot 40 + 4 \cdot 30 + 6 \cdot 20) = 2 \cdot b$	$b = 20,16\ mol$
Oxígeno	$y \cdot 2 = 2 \cdot 8,2 + 0,6 + 2 \cdot 4,1 + b$	$y = 22,68\ mol$
Nitrógeno	$x \cdot 10 \cdot 2 + y \cdot 2 \cdot 3,76 = 2 \cdot a$	$a = 86,54\ mol$

Podemos observar que el valor de a, es decir el porcentaje de N_2 en la reacción es muy aproximado al valor que hemos calculado en el apartado primero.

Para el cálculo de la cantidad de combustible y de aire necesaria para la obtención de los productos de la combustión se utiliza los valores de x e y, moles de combustible y aire respectivamente y los pesos moleculares, en gramos/mol, de cada elemento químico.

Cantidad de combustible

$$x \cdot (40 \ H_2 + 30 \ CH_4 + 20 \ C_2H_6 + 10 \ N_2)$$

$$0,126 \cdot [40 \cdot 2 + 30 \cdot (12+4) + 20 \cdot (2 \cdot 12 + 6) + 10 \cdot (2 \cdot 14)] = 181,44 \ g$$

Cantidad de aire

$$y \cdot (O_2 + 3,76 \ N_2)$$

$$22,68 \cdot [2 \cdot 16 + 3,76 \cdot 2 \cdot 14] = 3113,51 \ g$$

Para obtener la relación aire-combustible (másica o molar):

$$AC = \frac{m_{aire}}{m_{combustible}}$$

La relación aire-combustible másica:

La relación aire-combustible molar:

$$AC_{masica} = \frac{3113,51 \ g}{181,44 \ g} = 17,16$$

$$AC_{molar} = \frac{22,68 \cdot 4,76 \ mol}{0,126 \cdot 100 \ mol} = 8,57$$

3.- Realizamos el ajuste estequiométrico. Vamos a calcular la cantidad de aire necesario para pasar la unidad de combustible a los productos de combustión CO_2, H_2O y N_2 mediante una combustión completa.

La reacción química que define la combustión completa es la siguiente:

$$40 \ H_2 + 30 \ CH_4 + 20 \ C_2H_6 + 10 \ N_2 + y \cdot (O_2 + 3,76N_2) \rightarrow a \ CO_2 + b \ H_2O + c \ N_2$$

Para ajustar la reacción, realizamos los balances individuales de cada elemento en la ecuación, es decir, el carbono, hidrógeno, oxígeno y nitrógeno por separado.

Carbono	$30 + 2 \cdot 20 = a$	$a = 70 \ mol$
Hidrógeno	$2 \cdot 40 + 4 \cdot 30 + 6 \cdot 20 = 2 \cdot b$	$b = 160 \ mol$
Oxígeno	$y \cdot 2 = 2 \cdot a + b$	$y = 150 \ mol$
Nitrógeno	$10 \cdot 2 + y \cdot 2 \cdot 3,76 = 2 \cdot c$	$c = 574 \ mol$

Para el cálculo de la cantidad de combustible y de aire necesaria para la obtención de los productos de la combustión se utiliza los valores de x e y, moles de combustible y aire respectivamente y los pesos moleculares, en gramos/mol, de cada elemento químico.

<u>Cantidad de combustible</u>

$x \cdot (40\ H_2 + 30\ CH_4 + 20\ C_2H_6 + 10\ N_2)$

$[40 \cdot 2 + 30 \cdot (12 + 4) + 20 \cdot (2 \cdot 12 + 6) + 10 \cdot (2 \cdot 14)] = 1440\ g$

<u>Cantidad de aire</u>

$y \cdot (O_2 + 3,76\ N_2)$

$150 \cdot [2 \cdot 16 + 3,76 \cdot 2 \cdot 14] = 20592\ g$

Para obtener la relación aire-combustible (másica o molar):

$$AC = \frac{m_{aire}}{m_{combustible}}$$

La relación aire-combustible másica:

$$AC_{masica} = \frac{20592\ g}{1440\ g} = 14,30$$

La relación aire-combustible molar:

$$AC_{molar} = \frac{150 \cdot 4,76\ mol}{100\ mol} = 7,14$$

Para comprobar si la mezcla es rica o pobre, calculamos el dosado relativo:

$$F_R = \frac{1/AC}{1/AC_{teorico}} = 0,83$$

Dado que el dosado relativo es menor que la unidad, diremos que la mezcla de aire y combustible es una **mezcla pobre.**

4.- La composición del biogás en tanto por ciento volumétrico es la siguiente:

60 CH$_4$	39 CO$_2$
0,5 H$_2$	0,5 N$_2$

Se pide calcular el porcentaje de producto obtenido en una reacción de combustión completa. Calcular la relación aire-combustible

---

$$60\ CH_4 + 39\ CO_2 + 0{,}5\ H_2 + 0{,}5\ N_2 + y{\cdot}(O_2 + 3{,}76\ N_2) \rightarrow a\ CO_2 + b\ H_2O + c\ N_2$$

Para ajustar la reacción, realizamos los balances individuales de cada elemento en la ecuación, es decir, el carbono, hidrógeno, oxígeno y nitrógeno por separado.

Carbono	$60 + 39 = a$	$a = 99\ mol$
Hidrógeno	$4{\cdot}60 + 2{\cdot}0{,}5 = 2{\cdot}b$	$b = 120{,}50\ mol$
Oxígeno	$2{\cdot}39 + y{\cdot}2 = 2{\cdot}a + b$	$y = 120{,}25\ mol$
Nitrógeno	$2{\cdot}0{,}5 + y{\cdot}2{\cdot}3{,}76 = 2{\cdot}c$	$c = 452{,}64\ mol$

Para el cálculo de la cantidad de combustible y de aire necesaria para la obtención de los productos de la combustión se utiliza los valores de x e y, moles de combustible y aire respectivamente y los pesos moleculares, en gramos/mol, de cada elemento químico.

Cantidad de combustible

$$60\ CH_4 + 39\ CO_2 + 0{,}5\ H_2 + 0{,}5\ N_2$$

$$60{\cdot}(12 + 4) + 39{\cdot}(12 + 2{\cdot}16) + 0{,}5{\cdot}2 + 0{,}5{\cdot}(2{\cdot}14) = 2691\ g$$

Cantidad de aire

$$y{\cdot}(O_2 + 3{,}76\ N_2)$$

$$120{,}25{\cdot}(2{\cdot}16 + 3{,}76{\cdot}2{\cdot}14) = 16507{,}92\ g$$

Para obtener la relación aire-combustible (másica o molar):

$$AC = \frac{m_{aire}}{m_{combustible}}$$

La relación aire-combustible másica:

$$AC_{masica} = \frac{16507{,}92\ g}{2691\ g} = 6{,}13$$

La relación aire-combustible molar:

$$AC_{molar} = \frac{120{,}25 \cdot 4{,}76\ mol}{100\ mol} = 5{,}72$$

5.- La composición del gasógeno en tanto por ciento volumétrico es la siguiente:

CH_4: 2% CO_2: 12%   CO: 20%
H_2: 18% N_2: 48%

Se pide calcular el porcentaje de producto obtenido en una reacción de combustión completa. Calcular la relación aire-combustible

———————————

$$2\ CH_4 + 12\ CO_2 + 18\ H_2 + 48\ N_2 + 20\ CO + y\cdot(O_2 + 3,76\ N_2) \rightarrow a\ CO_2 + b\ H_2O + c\ N_2$$

Para ajustar la reacción, realizamos los balances individuales de cada elemento en la ecuación, es decir, el carbono, hidrógeno, oxígeno y nitrógeno por separado.

<u>Carbono</u>	$2\cdot1 + 12 + 20 = a$	$a = 34\ mol$
<u>Hidrógeno</u>	$2\cdot4 + 2\cdot18 = 2\cdot b$	$b = 22\ mol$
<u>Oxígeno</u>	$2\cdot12 + 20 + y\cdot2 = 2\cdot a + b$	$y = 23\ mol$
<u>Nitrógeno</u>	$2\cdot48 + y\cdot2\cdot3,76 = 2\cdot c$	$c = 134,48\ mol$

Para el cálculo de la cantidad de combustible y de aire necesaria para la obtención de los productos de la combustión se utiliza los valores de x e y, moles de combustible y aire respectivamente y los pesos moleculares, en gramos/mol, de cada elemento químico.

<u>Cantidad de combustible</u>

$$2\ CH_4 + 12\ CO_2 + 18\ H_2 + 48\ N_2 + 20\ CO$$

$$2\cdot(12+4) + 18\cdot2 + 12\cdot(12+2\cdot16) + 48\cdot(2\cdot14) + 20\cdot(12+16) = 2500\ g$$

<u>Cantidad de aire</u>

$$y\cdot(O_2 + 3,76\ N_2)$$

$$23\cdot(2\cdot16 + 3,76\cdot2\cdot14) = 3157,44\ g$$

Para obtener la relación aire-combustible (másica o molar):

$$AC = \frac{m_{aire}}{m_{combustible}}$$

La relación aire-combustible másica: La relación aire-combustible molar:

$$AC_{masica} = \frac{3157,44\ g}{2500\ g} = 1,26 \qquad AC_{molar} = \frac{23\cdot4,76\ mol}{100\ mol} = 1,095$$

6.- El análisis de los gases de escape en base seca de un motor de cuatro tiempos ha dado el siguiente resultado:

$CO2 = 11,9\%$ $NO_2 = 0,9\%$ $O_2 = 1,4\%$
$CO = 1,9\%$ $NO = 1,5\%$ $N2 = ?$

El combustible utilizado es $C_{13}H_{28}$.

Determinar:
1) El porcentaje de N_2 obtenido en el análisis de los gases de escape.
2) La relación aire-combustible
3) La relación estequiométrica indicando si la reacción es rica o pobre.
4) La cantidad de CO y NO_x expresada en g/kW·h si el consumo específico es 230 g/kW·h

---

1.- Para obtener el porcentaje de N_2 en base seca obtenido en la reacción de combustión, consideramos que la suma de todos los productos de la combustión deben sumar el 100%.

Si sumamos los productos de la combustión, de los cuales conocemos el porcentaje final, obtenemos un 17,6%. Si el total de productos de combustión supone el 100%, el porcentaje de nitrógeno será:

$$N_2 = 82,4\%$$

2.- Para obtener la relación aire-combustible se ajusta la ecuación de combustión. Para ello realizamos los balances individuales de cada elemento en la ecuación, es decir, el carbono, hidrógeno, oxígeno y nitrógeno por separado.

La reacción química que define la combustión producida es la siguiente:

$$x \cdot C_{13}H_{28} + y \cdot (O_2 + 3,76 \ N_2) \rightarrow$$
$$11,9 \ CO_2 + 1,9 \ CO + 0,9 \ NO_2 + 1,5 \ NO + 1,4 \ O_2 + a \ N_2 + b \ H_2O$$

Los balances tienen en consideración el número de moles de cada elemento por el número de átomos que contiene cada molécula que compone la reacción.

Carbono.	$x \cdot 13 = 11,9 + 1,9$	$x = 1,06 \ mol$
Hidrógeno	$x \cdot 28 = 2 \cdot b$	$b = 14,84 \ mol$
Oxígeno	$y \cdot 2 = 2 \cdot 11,9 + 1,9 + 2 \cdot 0,9 + 1,5 + 2 \cdot 1,4 + b$	$y = 23,32 \ mol$
Nitrógeno	$y \cdot 2 \cdot 3,76 = 0,9 + 1,5 + 2 \cdot a$	$a = 86,48 \ mol$

El número de moles de nitrógeno, o el tanto por ciento de nitrógeno obtenido en la reacción de combustión es 86,48, por lo que la suma de los productos de la combustión en base seca es 104,08%. Esta diferencia se debe a los errores acumulados a lo largo de los cálculos, al restringir el número de decimales y redondear por exceso, en los resultados consecutivos.

Para el cálculo de la cantidad de combustible y de aire necesaria para la obtención de los productos de la combustión utilizamos en número de moles de combustible y aire respectivamente y los pesos moleculares, en gramos/mol, de cada elemento químico.

Cantidad de combustible

$$x \cdot C_{13}H_{28}$$
$$1,06 \cdot (12 \cdot 13 + 28) = 195,04 \ g$$

Cantidad de aire

$$y \cdot (O_2 + 3,76 \ N_2)$$
$$23,32 \cdot (2 \cdot 16 + 3,76 \cdot 2 \cdot 14) = 3201,37 \ g$$

Para obtener la relación aire-combustible (másica o molar):

$$AC = \frac{m_{aire}}{m_{combustible}}$$

La relación aire-combustible másica:

$$AC_{masica} = \frac{3201,37 \ g}{195,04 \ g} = 16,41$$

La relación aire-combustible molar:

$$AC_{molar} = \frac{23,32 \cdot 4,76 \ mol}{1,06 \cdot 100 \ mol} = 1,09$$

3) Realizamos el ajuste estequiométrico. Vamos a calcular la cantidad de aire necesario para pasar la unidad de combustible a los productos de combustión CO_2, H_2O y N_2 mediante una combustión completa.

La reacción química que define la combustión completa es la siguiente:

$$C_{13}H_{28} + y \cdot (O_2 + 3,76 \ N_2) \rightarrow a \ CO_2 + b \ H_2O + c \ N_2$$

Para ajustar la reacción, realizamos los balances individuales de cada elemento en la ecuación, es decir, el carbono, hidrógeno, oxígeno y nitrógeno por separado.

Carbono	$13 = a$	$a = 13 \ mol$
Hidrógeno	$28 = 2 \cdot b$	$b = 14 \ mol$
Oxígeno	$y \cdot 2 = 2 \cdot a + b$	$y = 20 \ mol$
Nitrógeno	$y \cdot 2 \cdot 3,76 = 2 \cdot c$	$c = 75,2 \ mol$

Para el cálculo de la cantidad aire necesaria para la realización de la combustión completa vamos a utilizar el valor de y, obtenido anteriormente y los pesos moleculares de los elementos químicos. Para el combustible hemos partido de la unidad de combustible.

Cantidad de combustible

$$C_{13}H_{28}$$
$$(12 \cdot 13 + 28) = 184 \ g$$

Cantidad de aire $\qquad y \cdot (O_2 + 3{,}76 \ N_2)$

$$20 \cdot 137{,}28 = 2745{,}6 \ g$$

Si obtenemos la cantidad de aire en número de moles:

$$AC_{teor.} = \frac{m_{aire}}{m_{combustible}}$$

La relación aire-combustible másica: $\qquad$ La relación aire-combustible molar:

$$AC_{teor.masica} = \frac{2745{,}6 \ g}{184 \ g} = 14{,}92 \qquad AC_{teor.molar} = \frac{20 \cdot 4{,}76 \ mol}{100 \ mol} = 0{,}95$$

Para comprobar si la mezcla es rica o pobre, calculamos el dosado relativo:

$$F_R = \frac{1/AC}{1/AC_{teorico}} = 0{,}91$$

Dado que el dosado relativo es menor que la unidad, diremos que la mezcla de aire y combustible es una **mezcla pobre.**

4.- El consumo específico del motor es de 230 g/kW·h de combustible. Supone necesario 230 g de combustible para obtener la unidad de potencia en kW·h.

En el resultado de la combustión del combustible que utilizamos, la proporción de CO entre los gases de escape es de 1,9 %. Si la cantidad de combustible utilizada en la combustión desprende 1,9% de monóxido de carbono, entonces:

$$1{,}06 \cdot (12 \cdot 13 + 28) \longrightarrow 1{,}9 \cdot (12 + 16)$$

$$230 \frac{g}{kW \cdot h} \longrightarrow 62{,}74 \frac{g}{kW \cdot h}$$

Los óxidos de nitrógeno obtenidos en esta combustión son NO y NO_2, que suponen un 2,4 % de los productos de la combustión. Si la cantidad de combustible utilizada en la combustión desprende 0,9% de NO_2 y 1,5% de NO, entonces:

$$1{,}06 \cdot (12 \cdot 13 + 28) \longrightarrow 0{,}9 \cdot (14 + 16 \cdot 2) + 1{,}5 \cdot (14 + 16)$$

$$230 \frac{g}{kW \cdot h} \longrightarrow 101{,}89 \frac{g}{kW \cdot h}$$

Por lo que en la combustión se han producido 62,74 g/kW·h de CO y 101,89 g/kW·h de NOx

7.- El análisis de los gases de escape en base seca de un motor de cuatro tiempos ha dado el siguiente resultado:

$CO_2 = 13,53\ \%$ $NO_2 = 0,135\ \%$ $O_2 = 1,354\ \%$

$CO = 0,158\ \%$ $NO = 0,113\ \%$ $N_2 = ?$

El combustible utilizado es $C_{12}H_{26}$.

Determinar:

1) El porcentaje de N_2 obtenido en el análisis de los gases de escape.
2) La relación aire-combustible
3) La relación estequiométrica indicando si la reacción es rica o pobre.
4) La cantidad de CO y NO_x expresada en g/kW·h si el consumo específico es 240 g/kW·h
5) Si las normas Tier II sobre contaminación establecen como límites 5 g/kW·h para el CO y 7,5 g/kW·h para los NO_x indicar si el motor pasaría dicha norma y a partir de qué consumo específico tanto para el CO como los NO_x. El rendimiento efectivo máximo del motor es 0,39 y el PCI = 42000 kJ/kg

---

1.- Para obtener el porcentaje de N_2 en base seca obtenido en la reacción de combustión, consideramos que la suma de todos los productos de la combustión deben sumar el 100%.

La suma de los productos de la combustión de los cuales conocemos su porcentaje final, suponen un 15,29 %. Si el total de productos de combustión supone el 100 %, el porcentaje de nitrógeno será:

$$N_2 = 84,71\ \%$$

2.- Para obtener la relación aire-combustible se ajusta la ecuación de combustión. Para ello realizamos los balances individuales de cada elemento en la ecuación, carbono, hidrógeno, oxígeno y nitrógeno.

La reacción química que define la combustión producida es la siguiente:

$$x \cdot C_{12}H_{26} + y \cdot (O_2 + 3,76\ N_2) \rightarrow$$
$$13,53\ CO_2 + 0,158\ CO + 0,135\ NO_2 + 0,113\ NO + 1,354\ O_2 + a\ N_2 + b\ H_2O$$

Los balances resultantes para cada uno de los elementos:

Carbono.	$x \cdot 12 = 13,53 + 0,158$	$x = 1,14\ mol$
Hidrógeno	$x \cdot 26 = 2 \cdot b$	$b = 14,82\ mol$
Oxígeno	$y \cdot 2 = 2 \cdot 13,53 + 0,158 + 2 \cdot 0,135 + 0,113 + 2 \cdot 1,354 + b$	$y = 22,56\ mol$
Nitrógeno	$y \cdot 2 \cdot 3,76 = 0,135 + 0,113 + 2 \cdot a$	$a = 84,70\ mol$

Podemos observar que el valor de a, es decir el porcentaje de N_2 en la reacción es muy aproximado al valor que hemos calculado en el apartado primero.

Para el cálculo de la cantidad de combustible y de aire necesaria para la obtención de los productos de la combustión utilizamos en número de moles de combustible y aire respectivamente y los pesos moleculares, en gramos/mol, de cada elemento químico.

Cantidad de combustible

$$x \cdot C_{12}H_{26}$$
$$1,14 \cdot (12 \cdot 12 + 26) = 193,80 \ g$$

Cantidad de aire

$$y \cdot (O_2 + 3,76N_2)$$
$$22,56 \cdot (2 \cdot 16 + 3,76 \cdot 2 \cdot 14) = 3097,04 \ g$$

Para obtener la relación aire-combustible (másica o molar):

$$AC = \frac{m_{aire}}{m_{combustible}}$$

La relación aire-combustible másica:

$$AC_{masica} = \frac{3097,04 \ g}{193,80 \ g} = 15,98$$

La relación aire-combustible molar:

$$AC_{molar} = \frac{22,56 \cdot 4,76 \ mol}{1,14 \cdot 100 \ mol} = 0,94$$

3.- Realizamos el ajuste estequiométrico. Vamos a calcular la cantidad de aire necesario para pasar la unidad de combustible a los productos de combustión CO_2, H_2O y N_2 mediante una combustión completa.

La reacción química que define la combustión completa es la siguiente:

$$C_{12}H_{26} + y \cdot (O_2 + 3,76 \ N_2) \rightarrow a \ CO_2 + b \ H_2O + c \ N_2$$

Para ajustar la reacción, realizamos los balances individuales de cada elemento en la ecuación, es decir, el carbono, hidrógeno, oxígeno y nitrógeno por separado.

Carbono	$12 = a$	$a = 12 \ mol$
Hidrógeno	$26 = 2 \cdot b$	$b = 13 \ mol$
Oxígeno	$y \cdot 2 = 2 \cdot a + b$	$y = 18,5 \ mol$
Nitrógeno	$y \cdot 2 \cdot 3,76 = 2 \cdot c$	$c = 69,56 \ mol$

Para el cálculo de la cantidad aire necesaria para la realización de la combustión completa vamos a utilizar el valor de y, obtenido anteriormente y los pesos moleculares de los elementos químicos. Para el combustible hemos partido de la unidad de combustible.

Cantidad de combustible	$C_{12}H_{26}$	$(12 \cdot 12 + 26) = 170 \ g$
Cantidad de aire	$y \cdot (O_2 + 3,76 \ N_2)$	$(18,5 \cdot 137,28) = 2539,68 \ g$

Si obtenemos la cantidad de aire en número de moles:

$$AC_{teor.} = \frac{m_{aire}}{m_{combustible}}$$

La relación aire-combustible másica:

$$AC_{teor.masica} = \frac{2539,68 \ g}{170 \ g} = 14,94$$

La relación aire-combustible molar:

$$AC_{teor.molar} = \frac{18,5 \cdot 4,76 \ mol}{100 \ mol} = 0,88$$

Para comprobar si la mezcla es rica o pobre, calculamos el dosado relativo:

$$F_R = \frac{1/AC}{1/AC_{teorico}} = 0,93$$

Dado que el dosado relativo es menor que la unidad, diremos que la mezcla de aire y combustible es una **mezcla pobre.**

4.- El consumo específico del motor es de $240 \frac{g}{kW \cdot h}$ de combustible. Supone necesario 240 g de combustible para obtener la unidad de potencia en $kW \cdot h$.

En el resultado de la combustión del combustible que utilizamos, la proporción de CO entre los gases de escape es de 0,158 %. Si la cantidad de combustible utilizada en la combustión desprende 0,158% de monóxido de carbono, entonces:

$$1,14 \cdot (12 \cdot 12 + 26) \longrightarrow 0,158 \cdot (12+16)$$

$$240 \frac{g}{kW \cdot h} \longrightarrow 5,48 \frac{g}{kW \cdot h}$$

Los óxidos de nitrógeno obtenidos en esta combustión son NO y NO_2, que suponen un 0,248 % de los productos de la combustión. Si la cantidad de combustible utilizada en la combustión desprende 0,135% de NO_2 y 0,113% de NO, entonces:

$$1,14 \cdot (12 \cdot 12 + 26) \longrightarrow 0,135 \cdot (14+16 \cdot 2)+0,113 \cdot (14+16)$$

$$240 \frac{g}{kW \cdot h} \longrightarrow 11,89 \frac{g}{kW \cdot h}$$

Por tanto, en la combustión se han producido 5,48 g/kW·h de CO y 11,89 g/kW·h de NOx

5.- Si las Normas Tier II establecen como límite $5 \frac{g}{kW \cdot h}$ para el CO y $7,5 \frac{g}{kW \cdot h}$ para los NO_x, según los resultados obtenidos en el apartado anterior, este motor no cumple con las normas sobre contaminantes.

7

REFRIGERACIÓN
DE LOS MOTORES

Ejercicios resueltos.

1.- Un motor de 45 kW de potencia en el eje, tiene en determinadas condiciones de funcionamiento un consumo específico de 240 g/kW·h. Si el 35% de la energía que produce el motor en la combustión de la mezcla de combustible ha de ser evacuada del sistema de refrigeración, determinar:

> 1.- La energía eliminada en la refrigeración del motor, siendo el poder calorífico del combustible (PCI) de 46000 kJ/kg.
> 2.- La cantidad de agua a impulsar por la bomba de agua si entra en el radiador a 96°C y sale a 85 °C (calor específico del agua, c_{agua} = 4,19 kJ/kg·°C).
> 3.- Velocidad a la que debe circular el agua por unos manguitos cuyo diámetro interior es de 3 cm.
> 4.- Volumen de aire que debe circular a través del radiador sabiendo que entra a 18 °C y sale a 35 °C (densidad del aire δ_{aire} = 1,45 kg/m^3; calor específico del aire, c_{aire} = 1 kJ/kg °C).
> 5.- Las dimensiones que debe tener el radiador, si se considera que se construye cuadrado, sabiendo que el aire pasa a su través a una velocidad de 11 m/s.

1.- Consumo horario total del motor: $\quad C_h = C_e \cdot N_e = 45\ kW \cdot 0,24 \dfrac{kg}{kW \cdot h} = 13,05 \dfrac{kg}{h}$

Calor que aporta el combustible: $\quad Q_c = C_h \cdot PCI = 13,05 \dfrac{kg}{h}\ 46000 \dfrac{kJ}{kg} = 600300 \dfrac{kJ}{h}$

$$Q_c = 600300 \dfrac{kJ}{h} \cdot \dfrac{1}{3600} \dfrac{h}{s} = 166,75 \dfrac{kJ}{s}$$

y por tanto la energía que debe eliminar el sistema de refrigeración (Q_r) será:

$$Q_r = 0,35 \cdot Q_c = 0,35 \cdot 166,75 = 58,36 \dfrac{kJ}{s}$$

2.- El calor que ha de disipar el fluido refrigerante (agua) obtenido anteriormente, también viene dado por la expresión:

$$\overset{\bullet}{Q_r} = \overset{\bullet}{m}_{agua} \cdot c_{agua} \cdot \Delta T$$

Por tanto, la masa de agua que es necesario impulsar será:

$$\overset{\bullet}{m}_{agua} = \dfrac{Q_r}{c_{agua} \cdot \Delta T} = \dfrac{58,36 \dfrac{kJ}{s}}{4,19 \dfrac{kJ}{kg \cdot °C} \cdot (96 - 85)°C} = 1,27 \dfrac{kg}{s}$$

3.- La velocidad de circulación del agua se obtiene a partir de la expresión:

$$\dot{m}_{agua} = v_{agua} \cdot S_m \cdot \delta_{agua} \qquad \text{donde:} \quad v_a = \text{velocidad del agua (m/s)}$$
$$S_m = \text{sección del manguito (m}^2\text{)}$$

$$v_{agua} = \frac{1,27 \frac{kg}{s}}{\frac{\pi}{4} \cdot 0,03^2 \, m^2 \cdot 10^3 \frac{kg}{m^3}} = 1,80 \frac{m}{s}$$

4.- El aire que atraviesa el radiador refrigera el agua que circula por el circuito de refrigeración, luego el calor disipado por el aire es prácticamente el mismo que el calor de refrigeración calculado anteriormente, que puede expresarse:

$$Q_r = \dot{m}_{aire} \cdot c_{aire} \cdot \Delta T = V_{aire} \cdot \delta_{aire} \cdot c_{aire} \cdot \Delta t$$

Luego, el volumen de aire necesario: $\quad V_{aire} = \dfrac{58,36 \frac{kJ}{s}}{1,45 \frac{kg}{m^3} \cdot 1 \frac{kJ}{kg \cdot {}^\circ C} \cdot (35-18)^\circ C} = 3,66 \frac{m^3}{s}$

5.- Para calcular la sección del radiador, se parte de la expresión

$$\dot{m}_{aire} = v_{aire} \cdot S_r \cdot \delta_{aire} \qquad \text{donde:} \quad v_{aire} = \text{velocidad del aire (m/s)}$$
$$S_r = \text{sección del radiador (m}^2\text{)}$$

$$S_r = \frac{V_{aire}}{v_{aire}} = \frac{3,66 \frac{m^3}{s}}{11 \frac{m}{s}} = 0,33 \text{ m}^2 \;\rightarrow\; \text{sección cuadrada:} \quad \text{lado } l = \sqrt{S_r} = 0,58 \text{ m}$$

2.- Un motor de un vehículo consume 8 litros de combustible a los 100 km de recorrido. El combustible que utiliza tiene una densidad de 0,75 kg/dm³ y un poder calorífico (PCI) de 44000 kJ/kg. El sistema de refrigeración de este vehículo disipa un 32% del calor total que desarrolla el combustible. Dicho sistema contiene 8 litros de agua, que a su paso por el radiador disminuyen su temperatura 22 °C. Durante el recorrido indicado, se pide:

    1.- Calcular el número de veces que debe circular el agua por el radiador para eliminar la cantidad de calor indicado.

    2.- Calcular el caudal horario de la bomba de agua si el vehículo circula a 90km/h.

    (Calor especifico del agua: $c_{agua} = 4,19$ kJ/kg·°C)

1.- Para obtener el número de ciclos que circula el agua por el radiador, es necesario comparar el calor que tiene que disipar el sistema de refrigeración (Q_{refrig}) y el calor que es capaz de eliminar la circulación del agua (Q_{refrig_agua}):

$$n = \frac{Q_{refrig}}{Q_{refrig\_agua}}$$

El sistema de refrigeración disipa el 32% del calor, Q_1, generado por los 8 litros de combustible, luego:

$$Q_{refrig} = 0,32 \cdot Q_1 = 0,32 \cdot (m_c \cdot PCI) = 0,32 \cdot (8 \ dm^3 \cdot 0,75 \frac{kg}{dm^3} \cdot 44000 \frac{kJ}{kg}) = 264000 \ kJ$$

El calor que van a evacuar los 8 litros de agua será:

$$Q_{refrig\_agua} = \overset{\bullet}{m}_{agua} \cdot c_{agua} \cdot \Delta T = 8 \ dm^3 \cdot 1 \frac{kg}{dm^3} \cdot 4,19 \frac{kJ}{kg \cdot °C} \cdot 22°C = 737,44 \ kJ \text{ por ciclo de}$$

circulación.

Por tanto, el número de circulaciones del agua será:

$$n = \frac{264000}{737,44} = 114,56 \text{ ciclos}$$

2.- El caudal horario de la bomba vendrá expresado por el volumen de agua que es necesario bombear para que circule por el radiador n veces, durante el tiempo que tarda el vehículo en recorrer 100 km.

Caudal horario: $C = n \cdot \dfrac{V_{agua}}{t}$

donde: n: número de veces que pasa el agua por el radiador

          V_{agua}: volumen de agua en el sistema de refrigeración (l)

          t: tiempo que el vehículo tarda en recorrer 100 km

El vehículo circula a 90 km/h, por tanto, el tiempo (t) que tarda en recorrer 100 km:

$$t = \frac{espacio}{velocidad} = \frac{100 \; km}{90 \dfrac{km}{h}} \;\; \rightarrow \; t = 1,11 \; h$$

Finalmente, el Caudal horario: $C = 114,58 \; ciclos \; \dfrac{8 \; l}{1,11 \; h} = 825,66 \dfrac{l}{h} = 0,826 \dfrac{m^3}{h}$

3.- Se considera que el sistema de refrigeración de un motor de explosión de 35 kW de potencia y rendimiento efectivo 0,24, disipa un tercio de la energía que genera el combustible. Dicha refrigeración se realiza mediante aire que entra a una temperatura de 14 °C y sale a 30 °C. El aire tiene una masa específica de 1,35 kg/m³ y un calor específico (c_{aire}) de 0,99 kJ/kg·°C. Calcular el caudal de aire necesario para la refrigeración del motor. ¿Cuál sería el caudal necesario para un motor diesel de la misma potencia y rendimiento efectivo 0,28?

El calor que es necesario disipar en el motor de explosión, Q_{rexpl}:

$$Q_{rexpl} = \frac{1}{3} \cdot Q_1 = \frac{1}{3} \cdot \frac{N_e}{\eta_e} = \frac{1}{3} \cdot \frac{35\ kW}{0,24} = 48,61\ kW = 48,61\ \frac{J}{s}$$

La cantidad de aire necesaria para la refrigeración del motor se obtiene de la expresión:

$$Q_{rexpl} = m_{aire} \cdot c_{aire} \cdot \Delta T$$

$$Q_{rexpl} = V_{aire} \cdot \delta_{aire} \cdot c_{aire} \cdot \Delta T \rightarrow V_{aire} = \frac{Q_{r\,expl}}{c_{aire} \cdot \delta_{aire} \cdot \Delta T} = \frac{48,61 \frac{J}{s}}{0,99 \frac{J}{g \cdot °C} \cdot 1,35 \frac{g}{l} \cdot (30-14)°C}$$

$$V_{aire} = 2273,2\ \frac{l}{s} = 2,27\ \frac{m^3}{s}$$

En el motor diesel, el calor a eliminar por el sistema de refrigeración, $Q_{rdiesel}$, será:

$$Q_{rdiesel} = \frac{1}{3} \cdot \frac{Ne}{\eta e} = \frac{1}{3} \cdot \frac{35\ kW}{0,28} = 41,67\ kW = 41,67\ \frac{J}{s}$$

Análogamente, la cantidad de aire necesaria para que se refrigere:

$$V_{aire} = \frac{Q_{rdiesel}}{c_{aire} \cdot \delta_{aire} \cdot \Delta T_{aire}} = \frac{41,67 \frac{J}{s}}{0,99 \frac{J}{g \cdot °C} \cdot 1,35 \frac{g}{l} \cdot (30-14)°C} = 1948,65\ \frac{l}{s} = 1,95\ \frac{m^3}{s}$$

8

MECÁNICA
DEL MOTOR

Ejercicios resueltos.

1.- Un motor de gasolina de 4 cilindros y 4 tiempos tiene una potencia teórica de 124 CV a 2500r/min. Se pide hallar el par motor instantáneo producido por un cilindro en el instante en que lleva recorrida la mitad de la carrera de trabajo medida sobre el pistón. El motor es cuadrado, por lo que los cilindros tienen el diámetro igual a la carrera. Datos: relación de compresión: $\rho = 10$; $\eta_v = 0,6$; PCI = 10500 kcal/kg; dosado: 1/15; relación radio de la muñequilla del cigüeñal – longitud de la biela: $\lambda = r/l = 0,2$; masa del pistón: m = 5 kg; presión en el interior del cilindro: p = 8 bar; $\delta_0 = 1,293$ kg/m^3 a 0 ºC y 1 bar.

Necesitamos conocer la cilindrada del motor, para obtener a partir de ella el diámetro y la carrera del cilindro considerado. Para ello hacemos uso de la potencia teórica:

$N_t = 124$ CV $= 124 \cdot 0,736 = 91,264 \ kW$

$$N_t = \frac{W_t \cdot n}{2 \cdot 60 \cdot 1000} \ ; \qquad W_t = \frac{N_t \cdot 2 \cdot 60 \cdot 1000}{n}_t = \frac{91,267 \cdot 2 \cdot 60 \cdot 1000}{2500} = 4380,67 \ J$$

La cantidad de calor aportado viene dada por la expresión:

$Q_1 = m_c \cdot PCI = m_a \cdot F \cdot PCI = V_c \cdot \delta_0 \cdot \eta_v \cdot F \cdot PCI$

Despejando de esta expresión, obtenemos la cilindrada del motor:

$$V_c = \frac{Q_1}{\delta_0 \cdot \eta_v \cdot F \cdot PCI} \quad (1)$$

Por otra parte, la cantidad de calor aportado y el trabajo teórico realizado están relacionadas por medio del rendimiento teórico

$$\eta_t = \frac{W_t}{Q_1} \qquad\qquad Q_1 = \frac{W_t}{\eta_t}$$

Rendimiento térmico: $\eta_t = 1 - \dfrac{1}{\rho^{\gamma-1}} = 1 - \dfrac{1}{10^{0,41}} = 0,611$

Sustituyendo en la expresión anterior, obtenemos un valor de calor aportado:

$$Q_1 = \frac{Wt}{\eta_t} = \frac{4380,67 \ J}{0,611} = 7169,6 \ J$$

Finalmente, sustituyendo en la ecuación (1):

$$V_c = \frac{Q_1}{\delta_0 \cdot \eta_v \cdot F \cdot PCI} = \frac{7169,6 \ J}{1,293 \frac{g_a}{l} \cdot 0,6 \cdot \frac{1}{15} \frac{g_c}{g_a} \cdot 10500 \frac{cal}{g_c} \cdot 4,19 \frac{J}{cal}} = 3,1109 \ l = 3150,9 \ cm^3$$

La relación de compresión es la relación entre la suma de los volúmenes del cilindro y la cámara de combustión, y el volumen de la cámara de combustión. En este motor, la relación de compresión es 10. Podemos poner:

$$\left. \begin{array}{l} \dfrac{V_1}{V_2} = 10 \\[4mm] V_1 - V_2 = 3150,9 \ cm^3 \end{array} \right\}$$

De estas dos ecuaciones obtenemos:

$$V_1 = 3501 \ cm^3$$
$$V_2 = 350,10 \ cm^3$$

La cilindrada se corresponde por su parte con el volumen de un cilindro de diámetro el calibre (D), y altura la carrera (s), por lo que se puede expresar:

$$V_c = \frac{\pi \cdot D^2}{4} \cdot s \cdot z$$

Como el motor es cuadrado, se cumple que el calibre es igual a la carrera: D = s; además el motor tiene 4 cilindros, por lo que la expresión anterior queda de la siguiente forma:

$$V_c = \frac{\pi \cdot D^2}{4} \cdot D \cdot 4 \quad \rightarrow \quad D = \sqrt[3]{\frac{V_c}{\pi}} = \sqrt[3]{\frac{3150,9 \ cm^3}{\pi}} = 103,6 \ mm \quad \text{cada cilindro}$$

$$r = \frac{s}{2} = \frac{D}{2} = 51,8 \ mm$$

La sección del pistón será: $\quad A_p = \dfrac{\pi \cdot D^2}{4} = \dfrac{\pi \cdot 10,36^2}{4} = 84,82 \ cm^2$

El problema pide obtener el par motor instantáneo en el instante en que el pistón lleva recorrida la mitad de la carrera. Como la carrera es igual al calibre, la mitad de la carrera es

$$\frac{10,36}{2} = 5,18 \ cm = X; \quad \text{correspondiente al valor del desplazamiento del pistón.}$$

La expresión que define el desplazamiento del pistón es la siguiente:

$$X = r \cdot [(1 - \cos\theta) + \frac{\lambda}{2} \cdot sen^2\theta]$$

Sustituyendo el valor de X y r en la expresión anterior, obtenemos el valor del ángulo θ, valor con el cual entraremos en la expresión de la aceleración del mecanismo para calcular el equilibrio de fuerzas, y a partir de ellas, el par motor.

$$5,18 = 5,18 \cdot [(1- \cos\theta) + \frac{0,20}{2} \cdot sen^2\theta]$$

$$1 = (1- \cos\theta) + \frac{0,20}{2} \cdot sen^2\theta = (1- \cos\theta) + \frac{0,20}{2} \cdot (1-\cos^2\theta)$$

$$\frac{0,20}{2} \cdot \cos^2\theta + \cos\theta - \frac{0,20}{2} = 0 \quad \rightarrow \quad \cos\theta = 0,09901 \quad \rightarrow \quad \theta = 84,31°$$

El equilibrio en el pistón, siendo la Fb_x reacción que se produce en la biela, componente horizontal, es:

$$Fg - Fb_x - Fc = m \cdot a \quad (2)$$

Siendo Fg la fuerza del gas, y Fc la fuerza que ejerce los gases sobre el cárter. El esquema de este equilibrio se puede representar:

Fuerza del gas:
$$Fg = 8 \cdot 10^5 \frac{N}{m^2} \cdot 84,22 \cdot 10^{-4} m^2 = 6737,6 \, N$$

Fuerza ejercida por los gases sobre el cárter: $Fc = 1 \cdot 10^5 \frac{N}{m^2} \cdot 84,22 \cdot 10^{-4} m^2 = 848,2 \, N$

$$Fuerza = m \cdot a = m \cdot r \cdot \omega^2 \cdot (\cos\theta + \lambda \cdot \cos 2\theta)$$

$$m \cdot a = 2 \cdot 0,0518 \cdot (\frac{2500 \cdot 2 \cdot \pi}{60})^2 \cdot (\cos 84,31 + 0,2 \cdot \cos 2 \cdot 84,31) \rightarrow \quad m \cdot a = -688,20 \, N$$

Sustituyendo en la ecuación (2) de equilibrio, obtenemos el valor de la reacción sobre la biela:

$$Fb_x = Fg - Fc - m \cdot a = 6577,6 \, N$$

Si representamos la acción del pistón sobre la biela:

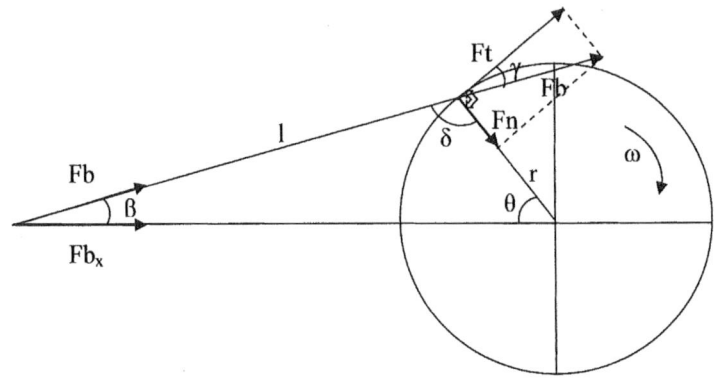

$$\frac{r}{sen\beta} = \frac{l}{sen\theta} \qquad \rightarrow \qquad sen\beta = \frac{r}{l} \cdot sen\theta = sen\beta = \lambda \cdot sen\theta$$

$$sen\,\beta = 0{,}2 \cdot sen\,84{,}31 = 0{,}199 \qquad \rightarrow \qquad \beta = 11{,}47°$$

$$Fb = \frac{Fb_x}{sen\,11{,}47} = 6711{,}63\ N$$

$$Ft = Fb \cdot cos\gamma \quad (3)$$

Partiendo de la figura, obtenemos el valor del ángulo solicitado:

$$\theta + \beta + \delta = 180° \qquad\qquad \delta = 180 - (\theta + \beta) \quad (4)$$

$$\delta + 90 - \gamma = 180° \quad (5) \qquad\qquad \delta - \gamma = 90°$$

sustituyendo (4) en (5):

$$180° - (\theta + \beta) + 90° - \gamma = 180°$$

$$\gamma = 90 - (\theta + \beta) \qquad\qquad \rightarrow \qquad\qquad \gamma = -\,5{,}78°$$

Sustituyendo en (3) obtenemos el valor de la fuerza que actúa sobre la biela

$$Ft = 6711{,}63 \cdot cos\,(-\,5{,}78°) = 6677{,}50\ N$$

Finalmente, el par motor instantáneo viene dado por la expresión siguiente:

$$M = r \cdot Ft = 0{,}0518\ m \cdot 6677{,}50\ N = 345{,}89\ N \cdot m$$

Par motor en el mismo sentido que el giro del motor.

2.- En un motor de gasoil, monocilíndrico, calcular la presión en el instante en que, en la carrera del trabajo, el ángulo girado por la manivela es 135°. Datos: V_c = 500 cm^3; n = 2000 r/min; m = 1,5 kg; r = 5 cm; l = 20 cm.; Par motor instantáneo: M_t = 270 N·m

La posición del pistón en la situación indicada vendrá representada en la siguiente figura:

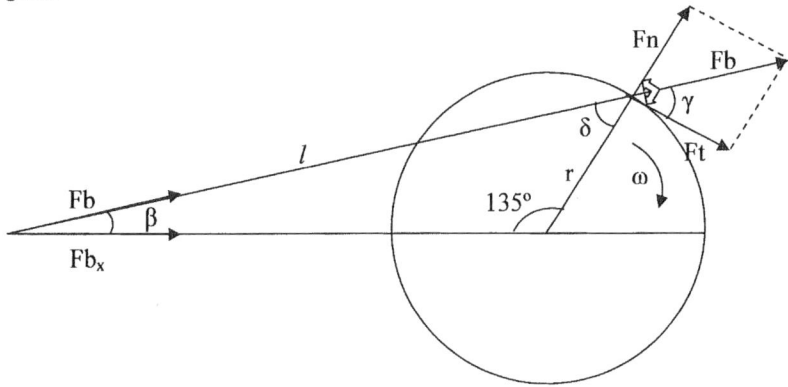

El par motor instantáneo viene definido por la expresión siguiente:

$Mt = r \cdot Ft$

Si sustituimos los valores conocidos, Mt y r, obtenemos el valor de la componente tangencial de la fuerza;

$$Ft = \frac{Mt}{r} = \frac{270\ N·m}{0,05\ m} = 5400\ N$$

A partir de este valor podemos obtener el valor de la fuerza Fb, mediante la siguiente expresión;

$$Fb = \frac{Ft}{sen\gamma} \quad (1)$$

Partiendo de la figura, obtenemos el valor del ángulo solicitado:

$$\left.\begin{array}{l} \delta + 90 + \gamma = 180° \\[2mm] \beta + \delta + 135° = 180° \end{array}\right\}$$

Además, $\quad \dfrac{r}{sen\beta} = \dfrac{l}{sen\ 135°} \quad \rightarrow \quad sen\beta = \dfrac{r}{l}·sen\ 135° = \dfrac{5}{20}·sen\ 135° = 0,17677$

Luego, $\quad \beta = 10,18°; \quad \delta = 180°-135°-\beta = 34,82°$ y $\quad \gamma = 55,18°$

$$Fb = \frac{Ft}{sen\ \gamma} = \frac{5400\ N}{sen\ 55,18°} = 6577,7\ N$$

$$Fb_x = Fb \cdot cos\ \beta = 6577,7\ N \cdot cos\ 10,18° = 6474,20\ N$$

El equilibrio en el pistón, siendo la Fb_x reacción que se produce en la biela, componente horizontal, es:

$$Fg - Fb_x - Fc = m \cdot a\ (2)$$

Este equilibrio de fuerzas se puede representar mediante el siguiente esquema:

Fuerza ejercida por los gases sobre el cárter; Fc:

Carrera: $s = 2 \cdot r = 10\ cm = 10\ mm$

Sección pistón: $A_p = \dfrac{V_c}{s} = \dfrac{500\ cm^3}{10\ cm} = 50\ cm^2$

$$Fc = 1 \cdot 10^5 \frac{N}{m^2} \cdot 50 \cdot 10^{-4} m^2 = 500\ N$$

$$Fuerza = m \cdot a = m \cdot r \cdot \omega^2 \cdot (cos\ \theta + \lambda \cdot cos\ 2\theta)$$

$$m \cdot a = 1,5 \cdot 0,05 \cdot (\frac{2000 \cdot 2 \cdot \pi}{60})^2 \cdot (cos\ 135° + \frac{5}{20} \cdot cos\ 2 \cdot 135°) = -2326,28\ N$$

Sustituyendo en la ecuación (2) de equilibrio, obtenemos el valor de la fuerza de los gases sobre el pistón:

$$Fg = Fb_x + Fc + m \cdot a = 9308,22 + 500 - 2326,28 = 7481,94\ N$$

El valor de la presión solicitado para el giro de manivela indicado será:

$$p_x = \frac{Fg}{A_p} = \frac{7481,94\ N}{50 \cdot 10^{-4} m^2} \cdot 10^{-5} \frac{bar}{\frac{N}{m^2}} = 14,96\ bar$$

3.- En un motor de 4 tiempos, monocilíndrico y de 200 cm^3, se pide calcular el par motor instantáneo cuando se cierra la válvula de admisión.

Datos: Relación de compresión: $\rho = 8$; Apertura de la admisión: 10°; Cierre de la admisión: 30°; Apertura de escape: 53°; Cierre del escape: 8°; Radio de la muñequilla del cigüeñal: 5 cm; Longitud de la biela: 20 cm; Masa incorporada al movimiento circular: 0,5 kg; Masa incorporada al movimiento alternativo: 0,8 kg; Exponente de la politrópica de compresión: n = 1,1; Presión al comienzo de la compresión: p = 0,7 bar; Potencia del motor: 25 CV a 2500 r/min.

La válvula de admisión cierra cuando el pistón se dirige al PMS, por lo que se cumple:

$$\theta = 180°+30° = 210°$$

Carrera $s = 2 \cdot r = 2 \cdot 5 = 10\ cm = 100\ mm$

Tenemos que determinar la posición del pistón con respecto al PMS. La ecuación que describe el desplazamiento de pistón es la siguiente:

$$X = r \cdot [(1-\cos\theta) + \frac{\lambda}{2} \cdot sen^2\theta] \qquad (1)$$

Siendo:

$r = 5\ cm;$ $\qquad \theta = 210°;$ $\qquad \lambda = \frac{r}{l} = \frac{5}{20} = \frac{1}{4}$

Sustituyendo estos valores en la ecuación de desplazamiento, (1):

$$X = 0{,}05 \cdot [(1-\cos 210°) + \frac{1}{2 \cdot 4} \cdot sen^2 210°] \quad \rightarrow \quad X = 0{,}0948\ m = 9{,}48\ cm$$

Por otro lado, hemos de averiguar la presión en el interior del cilindro en ese instante. Como se trata de la fase de compresión;

$$p_1 \cdot V_1^n = p_x \cdot V_x^n \qquad (2)$$

$\left.\begin{array}{l} V_1 - V_2 = 200 \\[4pt] \dfrac{V_1}{V_2} = 8 \end{array}\right\}$
$\qquad V_1 = 228{,}57\ cm^3$
$\qquad V_2 = 28{,}57\ cm^3$

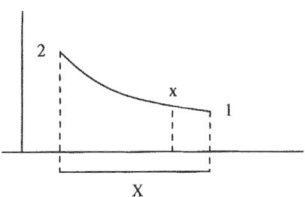

$V_x = V_2 + X \cdot A_p \qquad (3)$

$V_c = A_p \cdot 2 \cdot r \quad \rightarrow \quad A_p = \dfrac{V_c}{2 \cdot r} = \dfrac{200\ cm^3}{2 \cdot 5\ cm} = 20\ cm^2$

Entonces, sustituyendo en (3): $\qquad V_x = 28{,}57 + 9{,}48 \cdot 20 = 218{,}17\ cm^3$

Despejando p_x, presión en el instante considerado de la ecuación (3):

$$p_x = p_1 \cdot \left[\frac{V_1}{V_x}\right]^n = 0{,}7 \cdot \left[\frac{228{,}57}{218{,}17}\right]^{1{,}1} = 0{,}737\ bar$$

Siendo Fg la fuerza del gas, Fb_x reacción que se produce en la biela, componente horizontal, y Fc la fuerza que ejerce los gases sobre el cárter. El esquema de este equilibrio se puede representar:

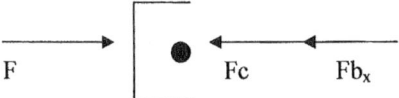

Fuerza del gas:
$$Fg = 0.737 \cdot 10^5 \, \frac{N}{m^2} \cdot 20 \cdot 10^{-4} m^2 = 147,4 \, N$$

Fuerza ejercida por los gases sobre el cárter: $Fc = 1 \cdot 10^5 \, \frac{N}{m^2} \cdot 20 \cdot 10^{-4} \, m^2 = 200 \, N$

$$Fuerza = m \cdot a = m \cdot r \cdot \omega^2 \cdot (\cos\theta + \lambda \cdot \cos 2\theta)$$

$$m \cdot a = 0,8 \cdot 0,05 \cdot \left(\frac{2500 \cdot 2 \cdot \pi}{60}\right)^2 \cdot (\cos 210 + \frac{1}{4} \cdot \cos 2 \cdot 210) = -2031,57 \, N$$

Sustituyendo en la ecuación (4) de equilibrio, obtenemos el valor de la reacción sobre la biela:

$$Fb_x = Fg - Fc - m \cdot a = 147,4 - 200 - (-2031,57) = 1978,97 \, N$$

Si representamos la acción del pistón sobre la biela:

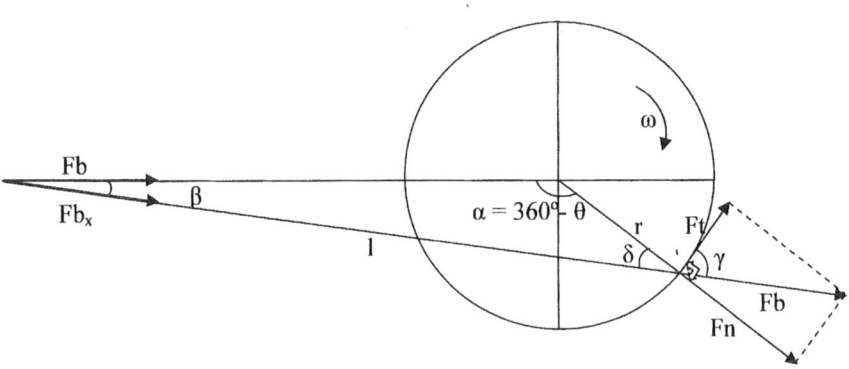

$\alpha = 360 - 210 = 150°$

$$\frac{r}{sen\beta} = \frac{l}{sen\alpha} \quad \rightarrow \quad sen\beta = \frac{r}{l} \cdot sen\alpha = \frac{1}{4} \cdot sen \, 150° = 0,125 \quad \rightarrow \quad \beta = 7,18°$$

$$Fb = \frac{Fb_x}{\cos\beta} = \frac{1978,97 \, N}{\cos 7,18°} = 1994,61 \, N$$

$\gamma = 180 - \beta - \alpha = 180 - 150 - 7{,}18 = 7{,}18°$

$Ft = Fb \cdot sen\,\gamma = 1994{,}61\ N \cdot sen\ 22{,}82\ = 773{,}58\ N$

Finalmente, el par motor instantáneo para este motor viene dado por la expresión siguiente:

$M = -r \cdot Ft = -0{,}05\ m \cdot 773{,}58\ N = -38{,}68\ N{\cdot}m$

4. Para un motor monocilíndrico que sigue el ciclo Otto teórico, calcular el par motor instantáneo en el instante en que la fuerza de inercia es nula en la fase de expansión. En el motor el diámetro del cilindro es igual a la carrera.

Datos: $V_c = 500$ cm^3; $\rho = 11$; $\eta_v = 0,65$; $F = 1/16$; $\lambda = 2/7$; PCI $= 10800$ kcal/kg;

$\delta_0 = 1,293$ kg/m^3 a 0°C y 1bar.

La cilindrada se puede definir mediante la siguiente expresión:

$$V_c = \frac{\pi \cdot D^2}{4} \cdot s$$

Como en el motor el calibre es igual a la carrera: $D = s$; la expresión anterior queda de la siguiente forma:

$$V_c = \frac{\pi \cdot D^3}{4} \quad \rightarrow \quad D = \sqrt[3]{\frac{4 \cdot V_c}{\pi}} = \sqrt[3]{\frac{4 \cdot 500}{\pi}} = 8,60 \ cm = 86 \ mm = s$$

$$r = \frac{s}{2} = \frac{D}{2} = 4,30 \ cm$$

La longitud de la biela: $\qquad \lambda = \dfrac{r}{l} = \dfrac{2}{7} \quad \rightarrow \quad l = 16,84 \ cm$

La fuerza de inercia es nula, luego;

$Fuerza = m \cdot a = m \cdot r \cdot \omega^2 \cdot (\cos\theta + \lambda \cdot \cos 2\theta) = 0$

$r \cdot \omega^2 \cdot \left(\cos\theta + \lambda \cdot \cos 2\theta\right) = 0 \qquad \rightarrow \qquad \left(\cos\theta + \lambda \cdot \cos 2\theta\right) = 0$

$\left(\cos\theta + \lambda \cdot (\cos^2\theta - sen^2\theta)\right) = 0 \qquad \rightarrow \qquad \left(\cos\theta + \lambda \cdot \cos^2\theta - \lambda \cdot (1 - \cos^2\theta)\right) = 0$

$4 \cdot \cos^2\theta + 7 \cdot \cos\theta - 2 = 0 \qquad \rightarrow \qquad \cos\theta = \dfrac{1}{4} \rightarrow \theta = 75,52° $ ya que $0 \leq \theta \leq 180°$

La expresión que expresa el desplazamiento del pistón es la siguiente:

$$X = r \cdot [(1 - \cos\theta) + \frac{\lambda}{2} \cdot sen^2\theta] = 0,0430 \cdot [(1 - \cos 75,52) + \frac{1}{7} \cdot sen^2 75,52] \qquad X = 3,80 \ cm$$

La relación de compresión es la relación entre la suma de los volúmenes del cilindro y la cámara de combustión, y el volumen de la cámara de combustión. En este motor, la relación de compresión es 11. Por otra parte, la cilindrada de este motor es 500 cm^3.

$\left. \begin{array}{l} \dfrac{V_1}{V_2} = 11 \\[2mm] V_1 - V_2 = 500 \end{array} \right\}$ $\qquad \begin{array}{l} V_1 = 550,0 \ cm^3 \\[2mm] V_2 = 50,0 \ cm^3 \end{array}$

Masa de aire: $m_a = V_c \cdot \delta_0 \cdot \eta_v = 500 \, cm^3 \cdot \dfrac{10^{-6} \, m^3}{1 \, cm^3} \cdot 1,293 \, \dfrac{kg}{m^3} \cdot \dfrac{10^3 \, g}{1 \, kg} \cdot 0,65 = 0,4202 \, g$

Masa de combustible: $F = \dfrac{1}{16} = \dfrac{m_c}{m_a} \;\; \rightarrow \;\; m_c = 0,02626 \, g$

La cantidad de calor aportado viene dada por la expresión:

$$Q_1 = m_c \cdot PCI = 0,02626 \; g \cdot 10800 \, \dfrac{cal}{g} \cdot 4,19 \, \dfrac{J}{cal} = 1188,32 \, J$$

El calor aportado puede expresarse también de la siguiente forma:

$$Q_1 = n \cdot C_V \cdot (T_3 - T_2) = n \cdot C_V \cdot \left(\dfrac{p_3 \cdot V_3 - p_2 \cdot V_2}{n \cdot R}\right)$$

$$Q_1 = \dfrac{C_V}{C_P - C_V} \cdot V_2 \cdot (p_3 - p_2) = \dfrac{1}{\gamma - 1} \cdot V_2 \cdot (p_3 - p_2)$$

$$\left.\begin{array}{l} p_3 = p_2 + \left(\dfrac{Q_1 \cdot (\gamma - 1)}{V_2}\right) \\[2mm] p_2 = p_1 \rho^{\gamma} \end{array}\right\} \;\; \rightarrow \;\; p_2 = 1 \, bar \cdot 11^{1,41} = 29,40 \, bar$$

$$p_3 = 29,40 \; bar + \dfrac{1188,32 \; N \cdot m \cdot (1,41 - 1)}{50 \; cm^3 \cdot 10^{-6} \, \dfrac{m^3}{cm^3}} \cdot \dfrac{1 \, bar}{10^5 \, \dfrac{N}{m^2}} = 126,84 \; bar$$

La sección del pistón será: $A_p = \dfrac{\pi \cdot D^2}{4} = \dfrac{\pi \cdot 8,60^2}{4} = 58,088 \, cm^2$

Si consideramos el volumen en la posición de desplazamiento X, en la cual la fuerza de inercia es nula;

$$V_x = V_2 + X \cdot A_p = 50 \, cm^2 + 3,80 \, cm \cdot 58,088 \, cm^2 = 270,73 \, cm^3$$

Adiabática en ciclo de expansión:

$$p_3 \cdot V_3^{\gamma} = p_x \cdot V_x^{\gamma} \;\; \rightarrow \;\; p_x = p_3 \left[\dfrac{V_3}{V_x}\right]^{\gamma} = 126,84 \; bar \cdot \left[\dfrac{50}{270,73}\right]^{1,41} = 11,72 \, bar$$

El equilibrio en el pistón, vendrá dado por:

$$Fg - Fb_x - Fc = m \cdot a \qquad (1)$$

Siendo Fg la fuerza del gas, Fb_x la componente horizontal de la reacción que se produce en la biela, y Fc la fuerza que ejerce los gases sobre el cárter. El esquema de este equilibrio se puede representar:

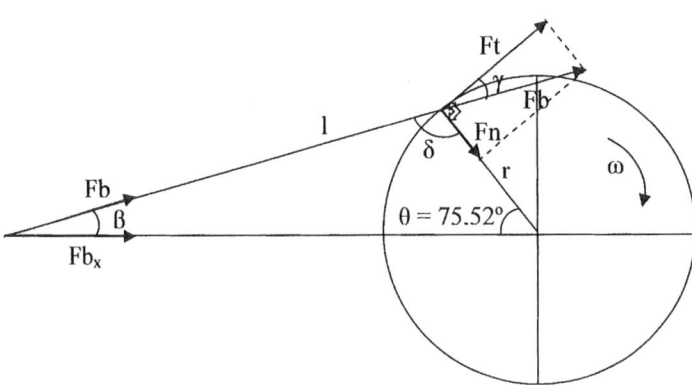

Fuerza del gas: $Fg = p_x \cdot A_p = 11{,}72 \ bar \cdot \dfrac{10^5 \frac{N}{m^2}}{bar} \cdot 58{,}088 \ cm^2 \cdot 10^{-4} \dfrac{m^2}{cm^2} = 6807{,}91 \ N$

Fuerza ejercida por los gases sobre el cárter: $Fc = 1 \cdot 10^5 \frac{N}{m^2} \cdot 58{,}088 \cdot 10^{-4} \ m^2 = 580{,}88 \ N$

Fuerza de inercia $= m \cdot a = 0$

Sustituyendo en la ecuación (1) de equilibrio, obtenemos el valor de la reacción sobre la biela:

$Fb_x = Fg - Fc - m \cdot a = 6807{,}91 \ N - 580{,}88 \ N = 6227{,}03 \ N$

Si representamos la acción del pistón sobre la biela:

$\dfrac{r}{sen\beta} = \dfrac{l}{sen\theta} \rightarrow sen\beta = \dfrac{r}{l} \cdot sen\theta \rightarrow sen\beta = \lambda \cdot sen\theta = \dfrac{2}{7} \cdot sen \ 75{,}52° = 0{,}2766$

Luego, $\beta = 16{,}05°$

$\delta + \beta + \theta = 180° \rightarrow \delta = 180 - 16{,}05° - 75{,}52° = 88{,}73°$

$$Ft = Fb \cdot cos\ \gamma = \left(\frac{Fb_x}{\cos \beta} \right) \cdot \cos \gamma = \left(\frac{6505,86}{\cos 16,05°} \right) \cdot \cos\ (-1,27°) = 6768,07\ N$$

El par motor instantáneo viene dado por la expresión siguiente:

$M = r \cdot Ft$ $\qquad M = 0,0430\ m \cdot 6768,07\ N = 291,03\ N \cdot m$

Par motor en el mismo sentido de giro que el motor.

5.- Para un cilindro de un motor cuyos valores son r = 6 cm; l = 24 cm; n = 300 r/min; m = 2,8 kg; V_c = 1200 cm^3, calcular el par motor instantáneo proporcionado, en el instante en que lleva recorridos 8 cm en la carrera de admisión, cuya presión es 0,8 bar.

———————————

Desplazamiento que lleva realizado el pistón; $X = 8\ cm$

$$\lambda = \frac{r}{l} = \frac{6\ cm}{24\ cm} = \frac{1}{4}$$

La carrera de este pistón: $r = \dfrac{s}{2}$ → $s = 2 \cdot r = 120\ mm$

La expresión que expresa el desplazamiento del pistón es la siguiente:

$$X = r \cdot [(1-cos\theta) + \frac{\lambda}{2} \cdot sen^2\theta]\ ;\qquad 8 = 6 \cdot [(1-cos\theta) + \frac{1}{8} \cdot (1 - cos^2\theta)]$$

$3 \cdot cos^2\theta + 24 \cdot cos\theta + 5 = 0$ → $cos\ \theta = -0,215$ → $\theta = 102,41°$

El equilibrio en el pistón, vendrá dado por:

$Fg - Fb_x - Fc = m \cdot a$ (1)

Siendo Fg la fuerza del gas, Fb_x la componente horizontal de la reacción que se produce en la biela, y Fc la fuerza que ejerce los gases sobre el cárter. El esquema de este equilibrio se puede representar:

Fuerza de inercia: $m \cdot a = m \cdot r \cdot \omega^2 \cdot (cos\theta + \lambda \cdot cos2\theta)$

$$m \cdot a = 2,8\ kg \cdot 0,06\ cm \cdot \left(\frac{2 \cdot \pi \cdot 3000}{60}\right)^2 \cdot (cos\ 102,41 + \frac{1}{4} \cdot cos\ 2 \cdot 102,14) = -7325,24\ N$$

Fuerza del gas:

Sección del pistón: $A_p = \dfrac{\pi \cdot D^2}{4} = \dfrac{V_c}{s} = \dfrac{1200\ cm^3}{12\ cm}$ $A_p = 100\ cm^2$

$$Fg = p_x \cdot A_p = 12,20\ bar \cdot \frac{10^5\ \frac{N}{m^2}}{bar} \cdot 100\ cm^2 \cdot 10^4\ \frac{m^2}{cm^2}\qquad Fg = 800\ N$$

Fuerza ejercida por los gases sobre el cárter:

$$Fc = 1 \cdot 10^5 \, \frac{N}{m^2} \cdot 100 \cdot 10^{-4} \, m^2 = 1000 \, N$$

Sustituyendo en la ecuación (1) de equilibrio, obtenemos el valor de la reacción sobre la biela:

$$Fb_x = Fg - Fc - m \cdot a = 800 - 1000 + 7325{,}24 = 7125{,}24 \, N$$

Si representamos la acción del pistón sobre la biela:

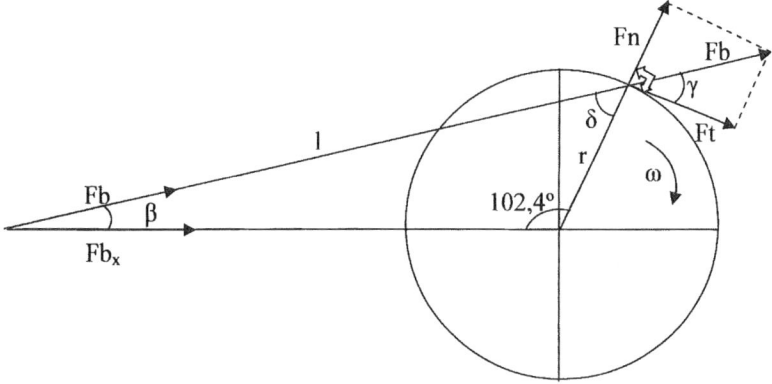

$$\frac{r}{sen\beta} = \frac{l}{sen\theta} \qquad \rightarrow \qquad sen\beta = \frac{r}{l} \cdot sen\theta \qquad \rightarrow \qquad sen\beta = \lambda \cdot sen\theta$$

$$sen\beta = \frac{1}{4} \cdot sen \, 102{,}4 = 0{,}2441 \qquad \rightarrow \qquad \beta = 14{,}13°$$

$$\delta + \beta + \theta = 180° \qquad \rightarrow \qquad \delta = 180° - 14{,}13° - 102{,}4° = 63{,}47°$$

$$\delta + 90° + \gamma = 180° \qquad \rightarrow \qquad \gamma = 90° - 63{,}47° = 26{,}53°$$

$$Ft = Fb \cdot cos \, \gamma = \left(\frac{Fb_x}{cos\beta} \right) \cdot cos\gamma = \left(\frac{7125{,}24 \, N}{cos \, 14{,}13°} \right) \cdot cos \, 26{,}53° = 6573{,}85 \, N$$

El par motor instantáneo viene dado por la expresión siguiente:

$$M = r \cdot Ft = 0{,}06 \, m \cdot 6573{,}85 \, N = 394{,}43 \, N \cdot m$$

Par motor en el mismo sentido de giro que el motor.

6.- Un motor de 4 cilindros y 4 tiempos tiene una cilindrada de 4000 cm^3. Se pide calcular el par motor instantáneo resultante cuando los pistones se encuentran a la misma distancia del punto muerto superior.

Otros datos: s/D = 1.06; r/l=λ = 0.25; m$_a$ = 2 kg; n = 2000 r/min;

p$_{trabajo}$ = 10 bar; p$_{compresión}$ = 4 bar; p$_{admisión}$ = 0,96 bar; p$_{escape}$= 1,05 bar.

Al ser un motor de cuatro cilindros, el desfase en el ciclo es de 180°. Por otra parte, los pistones se encuentran a la misma distancia del punto muerto superior, por lo que el ángulo de las bielas es 90° y 180° + 90° = 270°. La posición a 90° se corresponderá para el tiempo de admisión y trabajo, y la posición de 270° para el tiempo de compresión y escape.

El mecanismo se puede representar de la siguiente forma:

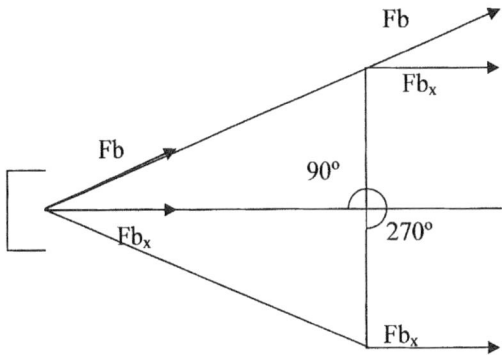

La cilindrada del motor es 4000 cm^3, luego la cilindrada unitaria, V$_u$, correspondiente al volumen que desplaza el pistón desde el PMI al PMS, en un motor de cuatro cilindros será:

$$V_u = \frac{4000}{4} = 1000 \ cm^3$$

Por otra parte, la cilindrada unitaria se corresponde con el volumen de un cilindro de diámetro el calibre (diámetro interior del cilindro), y de altura la carrera (distancia entre PMS y PMI) del pistón, cuya expresión es:

$$V_u = \frac{(\pi \cdot D^2)}{4} \cdot s$$

La relación entre la carreta del pistón y el diámetro del calibre es: s/D = 1,06; y sustituyendo en la expresión anterior los valores correspondientes, obtenemos el valor del diámtro del calibre del pistón:

$$1000\ cm^3 = \frac{(\pi \cdot D^2)}{4} \cdot 1,06 \cdot D \ \rightarrow \ \ \ D = \sqrt[3]{\frac{4000}{\pi \cdot 1,06}} = 106,3\ mm$$

A partir del calibre del pistón, podemos obtener el valor de la carrera de dicho pistón:

$$\frac{s}{D} = 1,06 \qquad \rightarrow \qquad s = 1,06 \cdot 10,63\ cm = 112,6\ mm$$

La sección del pistón será: $A_p = \dfrac{\pi \cdot D^2}{4} = \dfrac{\pi \cdot 10,63^2}{4} = 88,75\ cm^2$

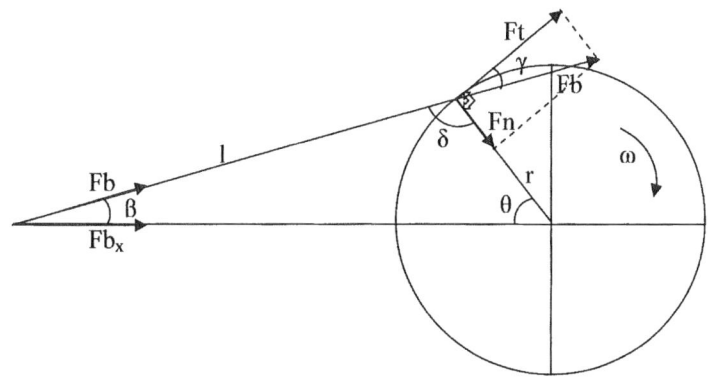

En el mecanismo biela-manivela, representado en la figura anterior, para describir el movimiento del pistón en el cilindro, el valor de r es el radio de la muñequilla del cigüeñal, y el valor l es la longitud de la biela. Como se cumple que r/l = 0,25; y r = s/2, podemos calcular los valores de r y l:

$$r = \frac{s}{2} = \frac{11,26}{2} = 5,63\ cm$$

$$l = \frac{r}{0,25} = \frac{5,63}{0,25} = 22,53\ cm$$

El valor del par motor viene dado por el valor la fuerza aplicada, por el brazo de palanca:

Par motor = Fuerza x Brazo de palanca en metros por kilogramo ($m \cdot kg$)

Par motor = $M = Ft \cdot r$

Fuerza = $F = m \cdot a = m \cdot r \cdot \omega^2 \cdot (cos\theta + \lambda cos\ 2\theta)$

$$F = 2\ kg \cdot 0,0518\ m \cdot \left(\frac{2000 \cdot 2 \cdot \pi}{60}\right) \cdot (cos\ 90 + 0,25 \cdot cos\ 2 \cdot 180) = -1235,67\ N$$

Si hacemos el cálculo para un ángulo de 270°, el valor obtenido es el mismo:

$$F = 2\ kg \cdot 0,0518\ m \cdot \left(\frac{2000 \cdot 2 \cdot \pi}{60} \right) \cdot (\cos\ 270 + 0,25 \cdot \cos\ 540) = -1235,67\ N$$

Para que se de equilibrio de fuerzas en el pistón: $Fg - Fb_x - Fc = m \cdot a$

El equilibrio de fuerzas será:

Admisión

$$88,75 \cdot 10^{-4}\ m^2 \cdot 0,96\ bar \cdot \frac{10^5\ \frac{N}{m^2}}{bar} - Fb_x - 88,75 \cdot 10^{-4}\ m^2 \cdot 1\ bar \cdot \frac{10^5\ \frac{N}{m^2}}{bar} = -1235,67\ N$$

→ $Fb_x = 1200\ N$

Trabajo

$$88,75 \cdot 10^{-4}\ m^2 \cdot 10\ bar \cdot \frac{10^5\ \frac{N}{m^2}}{bar} - Fb_x - 88,75 \cdot 10^{-4}\ m^2 \cdot 1\ bar \cdot \frac{10^5\ \frac{N}{m^2}}{bar} = -1235,67\ N$$

→ $Fb_x = 9223,1\ N$

Compresión

$$88,75 \cdot 10^{-4}\ m^2 \cdot 4\ bar \cdot \frac{10^5\ \frac{N}{m^2}}{bar} - Fb_x - 88,75 \cdot 10^{-4}\ m^2 \cdot 1\ bar \cdot \frac{10^5\ \frac{N}{m^2}}{bar} = -1235,67\ N$$

→ $Fb_x = 1280\ N$

Escape

$$88,75 \cdot 10^{-4}\ m^2 \cdot 1,05\ bar \cdot \frac{10^5\ \frac{N}{m^2}}{bar} - Fb_x - 88,75 \cdot 10^{-4}\ m^2 \cdot 1\ bar \cdot \frac{10^5\ \frac{N}{m^2}}{bar} = -1235,67\ N$$

→ $Fb_x = 3898,17\ N$

El par debido al tiempo de admisión y de trabajo será:

$M_{Ad.yTr} = (1200 + 9223,17)\ N \cdot 0,05634\ m = 587,24\ N \cdot m$

Este par se da en el sentido de giro del motor

El par debido al tiempo de compresión y escape será:

$M_{Com.yEsc} = (1280 + 3898,17)\ N \cdot 0,05634\ m = 291,73\ N \cdot m$

Este par se da en el sentido contrario al giro del motor.

El par instantáneo resultante será: $M_i = 587,24 - 291,73 = 295,5\ N \cdot m$

9

CURVAS
CARACTERÍSTICAS

Ejercicios resueltos.

1. En el ensayo al freno de un motor diesel se obtuvieron los siguientes valores de la velocidad (n), fuerza en la balanza (F) y consumo de combustible en 30 s (C). Densidad del gasoil, $\delta_g = 0,85$ kg/l.

n (r/min)	F (N)	C (cm³/30 s)	n (r/min)	F (N)	C (cm³/30 s)
2281	0	75	1801	828	331
2270	132	130	1748	844	329
2256	264	189	1695	852	326
2243	396	259	1653	857	319
2234	529	317	1602	862	313
2197	622	359	1551	877	306
2187	629	356	1499	888	299
2149	661	358	1452	888	288
2100	709	356	1402	902	273
2091	714	356	1337	906	260
2052	725	353	1293	905	250
1999	746	348	1249	906	242
1949	769	343	1220	910	238
1909	787	339	1165	902	226
1900	787	338	1102	887	217
1900	785	338	1046	862	200
1891	791	337	1008	847	192
1851	804	334			

Se pide:

1.- Determinar los valores del par motor, potencia, consumo horario y consumo específico. Si la constante del freno es K=10000
2.- Representarlos gráficamente en función de la velocidad del motor.
3.- Velocidad nominal.
4.- Potencia nominal.
5.- Par motor máximo y velocidad a la que se produce.
6.- Reserva de par.
7.- Potencia máxima.
8.- Intervalo de potencia máxima.
9.- Intervalo de utilización del motor.

1.- Para obtener los valores solicitados para cada uno de los valores de velocidad, fuerza y consumo obtenidos en el ensayo, se aplica las siguientes fórmulas:

Potencia:
$$N_e = \frac{F \cdot n}{K} = \frac{F \cdot n}{10000} (kW)$$

Par motor:
$$M_e = \frac{N_e \cdot 60 \cdot 1000}{2 \cdot \pi \cdot n} \ (N \cdot m)$$

Consumo horario:
$$C_h = C \cdot \frac{cm^3}{30 \ s} \cdot \frac{3600 \ s}{h} \cdot \frac{l}{1000 \ cm^3} = 0{,}12 \cdot C \frac{l}{h}$$

Consumo específico:
$$C_e = \frac{C_h \cdot \delta_g}{N_e} \cdot 1000 \ \text{expresado en} \ (\frac{g}{kW \cdot h})$$

Al aplicar las expresiones anteriores a cada uno de los valores obtenidos en el ensayo se han obtenido los siguientes resultados:

n (r/min)	M_e (N·m)	N_e (kW)	C_h (l/h)	C_e (g/kW·h)
2281	0	0,0	8,96	
2270	126	30,0	15,58	442
2256	252	59,5	22,71	325
2243	378	88,8	31,11	298
2234	505	118,1	38,08	275
2197	594	136,7	43,09	268
2187	601	137,6	42,70	264
2149	631	142,0	42,91	257
2100	677	148,9	42,72	244
2091	682	149,3	42,72	243
2052	692	148,7	42,39	243
1999	712	149,0	41,81	239
1949	734	149,8	41,11	233
1909	752	150,3	40,65	230
1900	752	149,6	40,59	231
1900	750	149,2	40,52	231
1891	755	149,5	40,47	230
1851	768	148,9	40,12	229
1801	791	149,2	39,76	227
1748	806	147,5	39,53	228
1695	814	144,5	39,07	230
1653	818	141,6	38,30	230
1602	823	138,1	37,53	232
1551	837	135,9	36,66	230
1499	848	133,1	35,92	230
1452	848	128,9	34,51	228
1402	861	126,4	32,8	220
1337	865	121,1	31,14	218
1293	864	117,0	30,00	218
1249	865	113,1	29,01	217
1220	869	111,0	28,53	218
1165	861	105,0	27,16	219
1102	847	97,7	26,08	226
1046	823	90,1	24,01	226
1008	809	85,4	22,99	228

2.- Representación gráfica del par motor en función de la velocidad del motor.

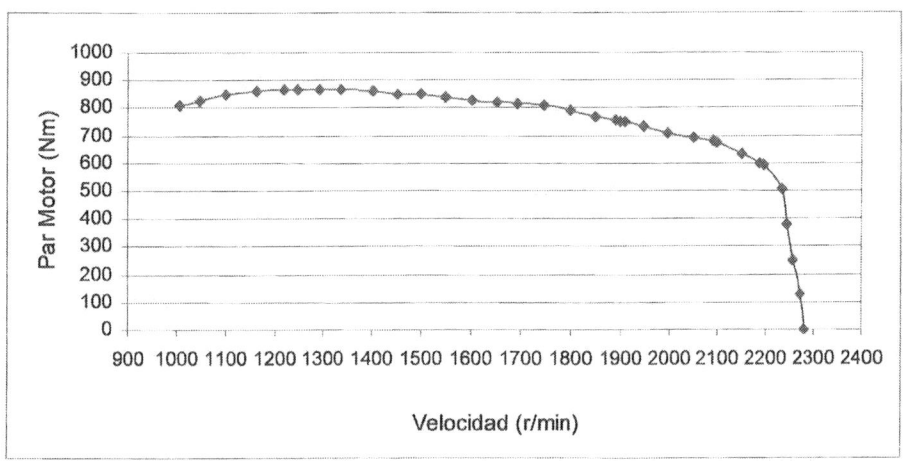

Representación gráfica de la potencia en función de la velocidad del motor:

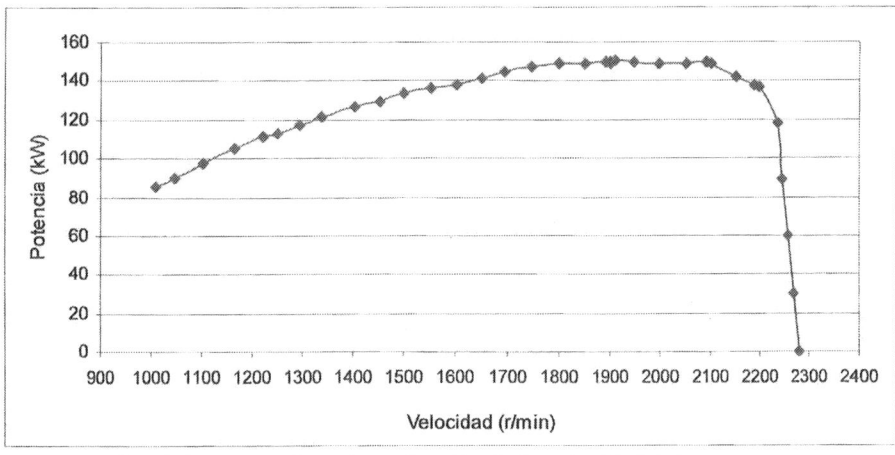

Representación del consumo horario en función de la velocidad del motor:

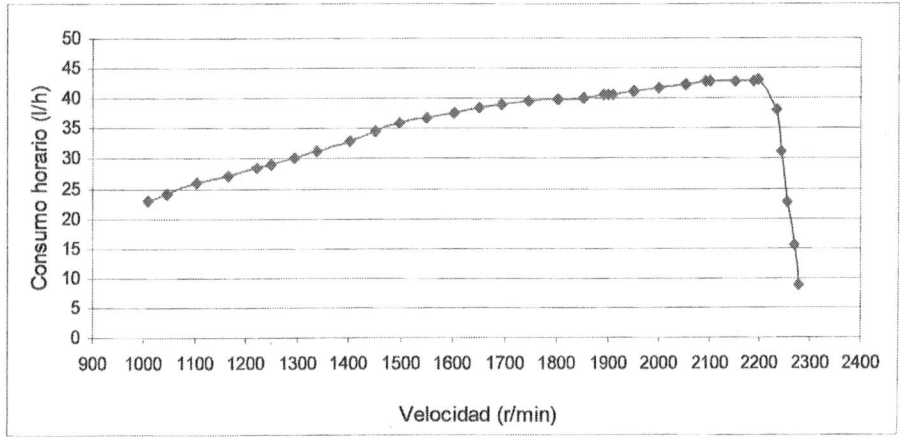

Representación del consumo específico en función de la velocidad del motor:

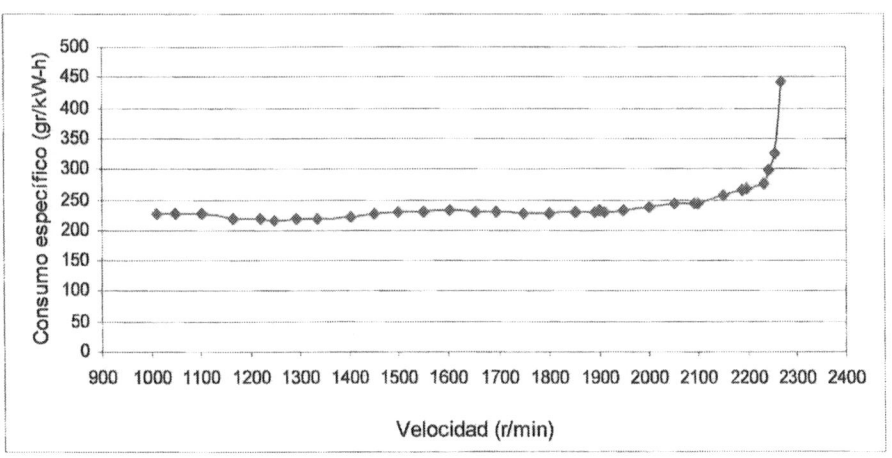

3.- La velocidad nominal es la que desarrolla el motor al final de la zona de actuación del regulador en su posición de máximo recorrido. En nuestro ensayo, se corresponde con el valor 2197 r/min.

4.- La potencia nominal es la potencia máxima a la velocidad nominal. Se corresponde con 136,7 kW.

5.- El par motor máximo es el mayor de los obtenidos en el ensayo al freno, correspondiente a 869 N·m a 1220 r/min

6.- Reserva de par es la diferencia entre el par máximo y el nominal expresado en porcentaje de este último.

Par nominal: $M_n = 594$ N·m

$$\text{Reserva de par} = \frac{M_{max} - M_n}{M_n} \cdot 100 = \frac{867 - 594}{594} \cdot 100 = 46,3\%$$

7.- La potencia máxima es la potencia mayor de las obtenidas en el ensayo al freno. Se corresponde con 149,5 kW a 1891 r/min

8.- Intervalo de potencia máxima es la diferencia entre la velocidad nominal y la que corresponde a la misma potencia en dicha curva característica, es decir, el intervalo de velocidad donde la potencia tiende a mantenerse constante.

Potencia nominal: 136,7 kW a 2197 r/min

Velocidad a la potencia equivalente que iguala a la nominal: n = 1575 r/min

Intervalo de potencia máxima: Δn = 2197 – 1575 = 622 r/min

9.- Intervalo de utilización del motor es la variación del régimen correspondiente a la reserva de par.

Intervalo de utilización del motor: $\Delta n = 2197 - 1220 = 977$ r/min

2.- Un motor Diesel de 6 cilindros y 4 tiempos tiene las siguientes características:

- Carrera: 115 mm
- Diámetro: 100 mm
- Potencia nominal: 90 kW a 2200 r/min

La presión media debida a las pérdidas mecánicas es p_{mpm} (bar) = 1+ 0,12·V_m (m/s) donde, V_m es la Velocidad media del pistón.
PCI = 42000 J/kg; densidad del gasoil = 0,84 kg/l

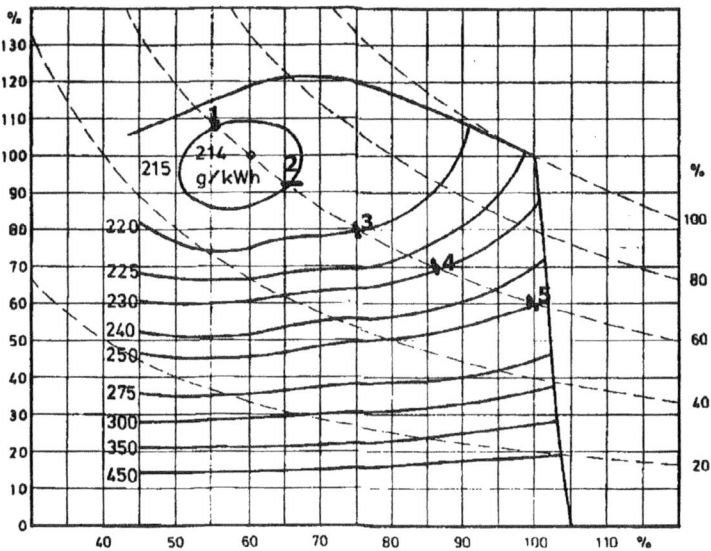

Calcular para los puntos marcados en el gráfico:

1.-Par Motor relativo (%)

2.-Régimen relativo (%)

3.-Trabajo efectivo relativo (%)

4.-Presión media efectiva relativa (%)

5.-Potencia relativa (%)

6.-Par Motor (Nm)

7.-Régimen (r/min)

8.-Trabajo efectivo (J)

9.-Presión media efectiva (bar)

10.-Potencia (kW)

11.-Consumo específico (g/kW·h)

12.- Presión media pérdidas mecánicas (bar)

13.-Trabajo debido a las pérdidas mecánicas (J)

14.- Potencia debida a las pérdidas mecánicas (kW)

15.-Par motor debido a las pérdidas mecánicas (Nm)

16.-Rendimiento efectivo (%)

17.-Rendimiento mecánico (%)

18.-Rendimiento indicado (%)

19.-Par motor indicado (Nm)

20.-Trabajo indicado (J)

21.-Potencia Indicada (kW)

22.-Consumo horario (l/h)

23.-Calor aportado (J)

24.-Pérdidas termodinámicas de energía (J)

1.- El par motor relativo M_r (en %) se obtiene de la lectura de los valores del eje de ordenadas izquierdo en la curva característica del enunciado. Los valores del par motor relativo para los puntos 1, 2, 3, 4 y 5 del gráfico se recogen en la tabla 1.

2.- El régimen relativo "n" (en %) se obtiene de la lectura de los valores del eje de abcisas de la curva característica (valores ver tabla 1).

3.- El trabajo efectivo relativo (en %) toma el mismo valor que el par motor relativo para cada punto del gráfico (valores ver tabla 1).

4.- Al igual que el trabajo efectivo relativo, la presión media efectiva relativa (p_{me}%) toma los mismos valores que el par motor relativo. Se cumple la siguiente igualdad:

$$\frac{100 \cdot M_x}{M_n} = \frac{100 \cdot W_x}{W_n} = \frac{100 \cdot p_{mx}}{p_{mn}} \quad \text{y además} \quad M \cdot 4 \cdot \pi = W = V_c p_m$$

5.- La potencia relativa N (en %) viene dada por las curvas de isopotencia, cuyo valores se representan en el eje derecho de ordenadas. Los puntos 1, 2, 3, 4 y 5 situados sobre la gráfica están sobre la curva de 60% de la potencia nominal (tabla 1).

6.- El cálculo del Par Motor, requiere determinar previamente el par motor nominal:

$$M_n = \frac{N_n \cdot 60 \cdot 1000}{2\pi \cdot n} = \frac{90 \cdot 60000}{2\pi \cdot 2200} = 390,65 \ N \cdot m$$

Par motor de cada uno de los puntos solicitado, M_i : $\qquad \dfrac{M_n}{100} = \dfrac{M_i}{M_r}$

Punto 1: $\dfrac{390,65}{100} = \dfrac{M_1}{108}$ $\qquad$ Punto 4: $\dfrac{390,65}{100} = \dfrac{M_4}{69}$

Punto 2: $\dfrac{390,65}{100} = \dfrac{M_2}{92}$ $\qquad$ Punto 5: $\dfrac{390,65}{100} = \dfrac{M_5}{60}$

Punto 3: $\dfrac{390,65}{100} = \dfrac{M_3}{80}$

7.- El régimen: $\qquad \dfrac{n_n}{100} = \dfrac{n_i}{n_r}$

Punto 1: $\dfrac{2200}{100} = \dfrac{n_1}{56}$ $\qquad$ Punto 4: $\dfrac{2200}{100} = \dfrac{n_4}{87}$

Punto 2: $\dfrac{2200}{100} = \dfrac{n_2}{66}$ $\qquad$ Punto 5: $\dfrac{2200}{100} = \dfrac{n_5}{1000}$

Punto 3: $\dfrac{2200}{100} = \dfrac{n_3}{75}$

8.-El trabajo efectivo: $\quad W_e = M_e \cdot 4 \cdot \pi \quad$ (valores se presentan en la tabla 1)

9.- La presión media efectiva (p_{me}) puede obtenerse de dos formas diferentes:

- A partir de la expresión: $p_{me} = \dfrac{W_e}{V_c} \cdot 10 \ (bar)$, siendo

$$V_c = \frac{\pi \cdot D^2}{4} \cdot s \cdot z = \frac{\pi \cdot 10^2}{4} \cdot 11,5 \cdot 6 = 5419,25 \ cm^3$$

- Determinando la presión media nominal, y relacionando este resultado con el valor solicitado de presión media efectiva, a partir de los valores de par motor relativo

$$p_{mn} = \frac{M_n \cdot 4\pi \cdot 10}{V_c} = \frac{390,65 \cdot 4 \cdot \pi \cdot 10}{5419,25} = 9,06 \ bar$$

$$\frac{p_{mn}}{100} = \frac{p_{me}}{M_r}$$

Por tanto:

Punto 1:	$\dfrac{9,06}{100} = \dfrac{p_{me1}}{108}$	Punto 4: $\dfrac{9,06}{100} = \dfrac{p_{me4}}{69}$
Punto 2:	$\dfrac{9,06}{100} = \dfrac{p_{me2}}{92}$	Punto 5: $\dfrac{9,06}{100} = \dfrac{p_{me5}}{60}$
Punto 3:	$\dfrac{9,06}{100} = \dfrac{p_{me3}}{80}$	

10.- La potencia para todos los puntos solicitados es la misma, calculándose a partir del valor de la potencia relativa:

$$N_e = N_r \cdot 90 \ kW \qquad N_e = 54 \ kW$$

Tabla 1.- Valores de las variables (apartados 1 al 10) para los puntos 1, 2, 3, 4, 5

	1	2	3	4	5
1.-Par Motor relativo, M_r (%)	108,00	92,00	80,00	69,00	60,00
2.-Régimen relativo n (%)	56,00	66,00	75,00	87,00	100,00
3.-Trabajo efectivo relativo W_e (%)	108,00	92,00	80,00	69,00	60,00
4.-Presión media efectiva relativa (%)	108,00	92,00	80,00	69,00	60,00
5.-Potencia relativa (%)	60,00	60,00	60,00	60,00	60,00
6.-Par Motor M_x (N·m)	421,91	359,40	312,52	269,55	
7.-Régimen r (r/min)	1232,00	1452,00	1650,00	1914,00	2200,00
8.-Trabajo efectivo W_e (J)	5301,82	4516,36	3927,27	3387,27	2945,45
9.-Presión media efectiva, p_{me} (bar)	9,78	8,33	7,25	6,25	5,44
10.-Potencia (kW)	54,00	54,00	54,00	54,00	54,00

11.- Consumo específico, C_e, se obtiene en el punto de intersección de los valores par relativo y velocidad relativa en la gráfica de isoconsumo. Ver valores en la tabla 2.

12.- Según enunciado, la presión media de las pérdidas mecánicas, es función de la velocidad media del pistón, V_m:

$$p_{mpm}(bar) = 1 + 0,12 \cdot V_m(m/s)$$

$$V_m = \frac{s \cdot n}{30} = \frac{0,115 \cdot n}{30}$$

Luego, $p_{mpm}(bar) = 1 + 0,12 \cdot \dfrac{0,115 \cdot n \ (r/min)}{30}$ función lineal de la velocidad del motor.

Para obtener el valor de p_{mpm}, sustituimos en la expresión anterior los valores de n para cada punto. Ver valores en la tabla 2. Los resultados de los siguientes apartados están incluidos en la tabla 2.

13.- Trabajo debido a las pérdidas mecánicas: $W_{pm} = \dfrac{V_c \cdot p_{mpm}}{10}(J)$

14.- Potencia debida a las pérdidas mecánicas: $N_{pm} = \dfrac{W_{pm} \cdot n}{2 \cdot 60 \cdot 1000}(kW)$

15.- Par motor debido a las pérdidas mecánicas: $M_{pm} = \dfrac{W_{pm}}{4 \cdot \pi}(N \cdot m)$

16.- Rendimiento efectivo: $\eta_e = \dfrac{36 \cdot 10^5}{PCI \cdot C_e}$

17.- Rendimiento mecánico: $\eta_m = \dfrac{p_{me}}{p_{me} + p_{mpm}}$

18.- Rendimiento indicado: $\eta_i = \dfrac{\eta_e}{\eta_m}$

19.- Par motor indicado: $M_i = \dfrac{M_e}{\eta_m}$

20.- Trabajo indicado: $W_i = \dfrac{M_e}{\eta_m}$;   o también $W_i = M_i \cdot 4 \cdot \pi$

21.- Potencia indicada: $N_i = \dfrac{M_i \cdot 2\pi \cdot n}{60 \cdot 1000} = \dfrac{N_e}{\eta_m}$

22.- Consumo horario: $C_h = \dfrac{N_e \cdot C_e}{\delta_{gasoil}}$

23.- Calor aportado: $Q_1 = m_c \cdot PCI$

$$W_e = Q_1 \cdot \eta_e \quad \rightarrow \quad Q_1 = \dfrac{W_e}{\eta_e}$$

24.- Pérdidas termodinámicas de energía: $W_{pt} = Q_1 - W_i$

Tabla 2.- Valores de las variables (apartados 11 al 24) para los puntos 1, 2, 3, 4, 5

	1	2	3	4	5
11.- Consumo específico (g/kW·h)	215,00	215,00	220,00	230,00	250,00
12.- Presión media pérdidas mecánicas p_{mpm} (bar)	1,57	1,67	1,76	1,88	2,01
13.-Trabajo debido a las pérdidas mecánicas, W_{pm} (J)	850,8	905,0	953,8	1018,8	1089,3
14.- Potencia debida a las pérdidas mecánicas, N_{pm} (kW)	8,72	10,94	13,11	16,25	19,99
15.-Par motor debido a las pérdidas mecánicas, M_{pm}(N·m)	67,56	71,93	75,86	81,09	86,77
16.-Rendimiento efectivo, η_e	0,40	0,40	0,39	0,37	0,34
17.-Rendimiento mecánico, η_m	0,86	0,83	0,80	0,77	0,73
18.-Rendimiento indicado, η_i	0,46	0,48	0,48	0,48	0,47
19.-Par motor indicado, M_i (Nm)	489,47	431,33	388,38	350,64	321,16
20.-Trabajo indicado W_i (J)	6150,86	5420,25	4880,52	4406,33	4035,81
21.-Potencia indicada N_i (kW)	63,15	65,59	67,11	70,28	73,99
22.-Consumo horario C_e (l/h)	13,82	13,82	14,14	14,79	16,07
23.-Calor aportado Q_1 (J)	13298,73	11328,55	10080,00	9089,18	8590,91
24.-Pérdidas termodinámicas de energía (J)	7147,86	5908,29	5199,48	4682,85	4555,10

3.- En el ejercicio anterior, determinar los rendimientos efectivo, mecánico e indicado, en función del par motor relativo para una velocidad del motor igual al 60% de la velocidad nominal.

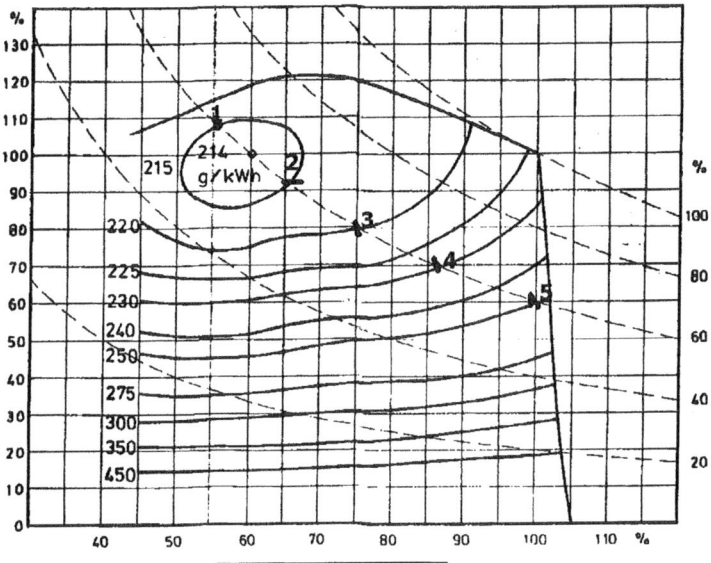

El 60% de la velocidad nominal es:

$$n = 0,6 \cdot 2200 \ \frac{r}{\min} = 1320 \ \frac{r}{\min}$$

La presión media debida a las pérdidas mecánicas es:

$$p_{mpm} = 1 + 0,12 + \frac{0,115 \cdot 1320}{30} \qquad p_{mpm} = 1,61 \ bar$$

Construimos una tabla donde establecemos los puntos correspondientes al par motor relativo y el consumo específico,

M %	CE	p_{mpm}	R_{ef}	R_{em}	R_{ind}
15	450	1,610	0,190	0,458	0,416
22	350	1,610	0,245	0,553	0,443
30	300	1,610	0,286	0,628	0,455
37	275	1,610	0,312	0,676	0,461
47	250	1,610	0,343	0,726	0,473
54	240	1,610	0,357	0,752	0,475
62	230	1,610	0,373	0,777	0,480
68	225	1,610	0,381	0,793	0,481
78	220	1,610	0,390	0,814	0,478
92	215	1,610	0,399	0,838	0,476
108	215	1,610	0,399	0,859	0,464
121	218	1,610	0,393	0,872	0,451

El rendimiento mecánico:

$$\eta_m = \frac{p_{me}}{p_{me} + p_{mpm}} \quad \rightarrow \quad \eta_m = \frac{\dfrac{p_{me}}{p_{mn}} \cdot 100}{\dfrac{p_{me}}{p_{mn}} \cdot 100 + \dfrac{p_{mpm}}{p_{mn}} \cdot 100}$$

Dado que se cumple:

$$\frac{p_{me}}{p_{mn}} = \frac{M_e}{M_n} = \frac{W_e}{W_n} \quad \text{son valores relativos}$$

La p_{mn} tiene un valor de 9,06 bar, valor que se ha obtenido en el ejercicio anterior,

El rendimiento efectivo: $\qquad \eta_e = \dfrac{36 \cdot 10^5}{PCI \cdot Ce}$

y el rendimiento indicado: $\qquad \eta_i = \dfrac{\eta_e}{\eta_m}$

Representando los rendimientos en función del par motor relativo obtenemos los gráficos que se adjuntan,

Las líneas de tendencia muestran la relación entre ambas variables,

Rendimiento mecánico: $\quad \eta_m = 0{,}1979 \cdot Ln\,(M\%) - 0{,}0521 \qquad\qquad r^2 = 0{,}9857$

Rendimiento indicado: $\quad \eta_i = 0{,}393 + 0{,}0024 \cdot M(\%) - 2 \cdot 10^{-5}(M\%) \qquad r^2 = 0{,}9588$

Rendimiento efectivo: $\quad \eta_e = 0{,}1022 \cdot Ln\,(M\%) - 0{,}0644 \qquad\qquad r^2 = 0{,}9450$

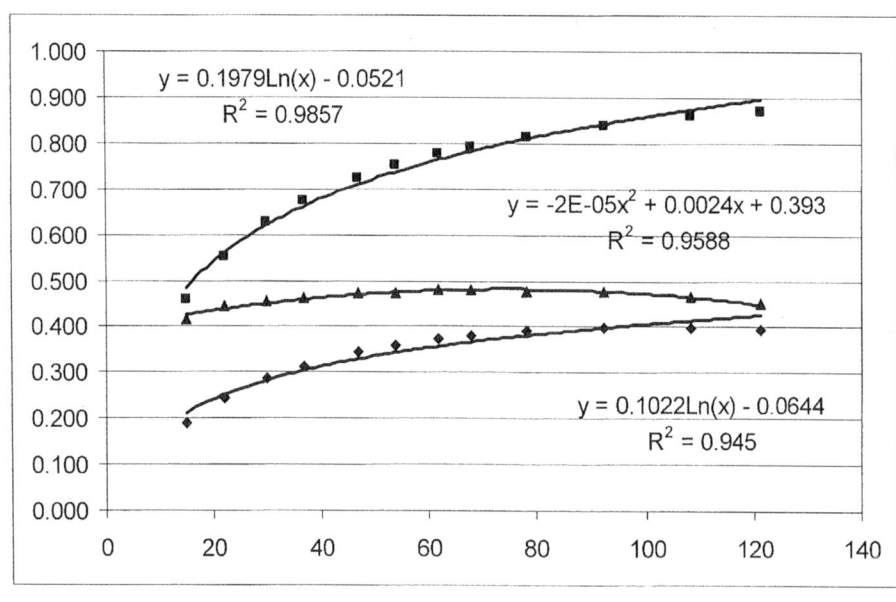

4.-El motor de un vehículo tiene una potencia nominal de 112 kW a 2500 r/min. Puede dar el 80% de la misma entre 1700 y 2562 r/min; el 60 %, entre 1312 y 2587 r/min y el 40 %, entre 1000 y 2625 r/min. El régimen máximo de giro del motor es 2731 r/min y el par máximo, de 516 N·m se produce a 1624 r/min.
Se pide:

> 1.- Dibujar la curva de la potencia en función del régimen del motor.
> 2.- Dibujar la curva del par en función del régimen y, sobre ella, las curvas de isopotencia.
> 3.- Par motor a potencia máxima.
> 4.- Potencia correspondiente a par máximo.
> 5.- Intervalo de régimen en el que el motor puede dar el 60% de la potencia nominal.
> 6.- Reserva de par.
> 7.- En la curva de par, representar el punto correspondiente al 60% del régimen nominal y el 75% del par nominal, indicando la potencia del motor.

1.- Potencia nominal $N_n = 112$ kW a 2500 r/min y régimen máximo de 2731 r/min

El 80% de N_n → 0,8. N_n = 89,60 kW a 1700 y 2562 r/min
El 60% de N_n → 0,6. N_n = 67,20 kW a 1312 y 2587 r/min
El 40% de N_n → 0,4. N_n = 44,80 kW a 1000 y 2625 r/min

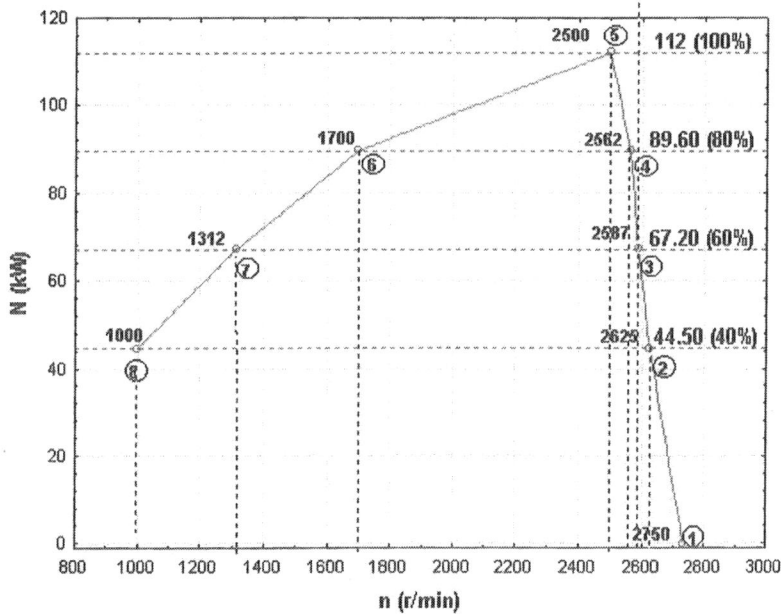

2.- Para ello hemos de determinar el par motor

$$N = \frac{M \cdot 2\pi \cdot n}{60 \cdot 1000}(kW) \quad \rightarrow \quad M = \frac{N \cdot 60 \cdot 1000}{2\pi \cdot n} = \frac{N \cdot 9549,3}{n}$$

teniendo en cuenta además que $M_{max} = 516$ N·m a 1624 r/min

Punto	1	2	3	4	5	6	$M_{máx}$	7	8
Potencia (kW)	0	44,80	67,20	89,60	112	89,60	↓	67,20	44,80
Velocidad (r/min)	2731	2625	2587	2562	2500	1700	1624	1312	1000
Par(N·m)	0	162,9	248	334	427,8	530,3	516	489,1	427,80

Obtenemos los porcentajes de par y régimen

Par nominal $M_n= 427,8$ Regimen nominal $n_n = 2500$ r/min

$$Par\% = \frac{M}{M_n} \cdot 100 \qquad Régimen\% = \frac{n}{n_n} \cdot 100$$

Punto	1	2	3	4	5	6	Máx	7	8
Par (%)	0	38	58	78	100	117,6	120,6	114,3	100
Régimen (%)	109,2	105,0	103,5	102,5	100	68	65	52,5	40

Punto nominal

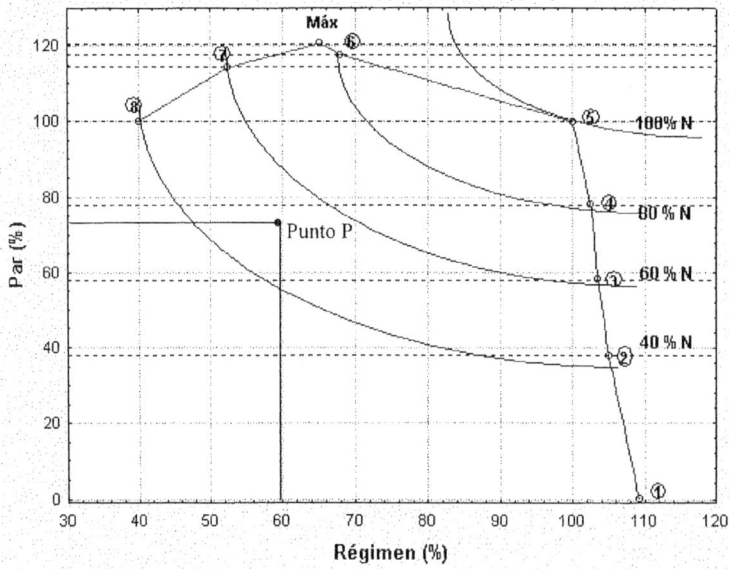

3.- El Par motor a potencia máxima tiene lugar en el punto 5 y alcanza 427,8 N·m

4.- La potencia correspondiente al par máximo será:

$$N = \frac{M \cdot 2\pi \cdot n}{60 \cdot 1000} = \frac{516 \cdot 2\pi \cdot 1624}{60 \cdot 1000} = 87,75 \cdot kW$$

5.- Entre los puntos 3 y 7: de 1312 a 2587 r/min.

6.- Reserva de par = $\dfrac{M_{máx} - M_n}{M_n} \cdot 100 = \dfrac{516 - 427,8}{427,8} = 20\%$

7.- Punto (P) (Ver gráfico anterior).

5.- Las curvas características de un tractor de 80 kW de potencia nominal son las que aparecen en la figura adjunta. El tractor trabaja con una máquina que le solicita el 80% de su potencia, en la V relación del cambio de velocidades (relación de transmisión = régimen motor/régimen ruedas = 102) y con el motor al régimen nominal, de 2250 r/min. El radio de las ruedas motrices del tractor es 0,86 m. Se pide:

1 - Potencia, par motor, régimen de giro del mismo, consumo específico, horario y velocidad de avance en el punto de utilización mencionado, representándolo en el diagrama de curvas características.

2 - Con el motor trabajando al 80 % del régimen nominal y sin variar el resto de las condiciones, representar el nuevo punto de utilización y sus valores representativos.

3 - Comparar el consumo de combustible si se mantienen estas condiciones durante una jornada de 8 horas de trabajo.

(densidad del combustible, $\delta_g = 0,825$ kg/l)

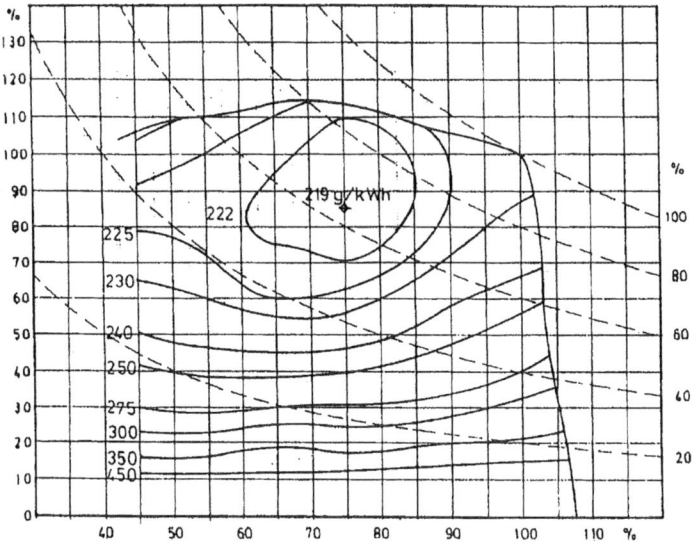

1.- Potencia y par del motor en el punto de utilización serán:

Potencia $N_m = 0,8 \cdot 80 = 64\ kW$

Par $M = \dfrac{N \cdot 60 \cdot 1000 \cdot}{2 \cdot \pi \cdot n} = \dfrac{64 \cdot 60 \cdot 1000}{2 \cdot \pi \cdot 2250} = 271,62\ N \cdot m$

El punto buscado corresponde a una potencia de $0,8\ N_n$ y régimen nominal es decir al 80% y 100% respectivamente.

Interpolando entre las curvas de isoconsumo de 230 y 240 se obtiene un consumo específico de $C_e = 233 \dfrac{g}{kW \cdot h}$

Consumo horario: $C_h = C_e \cdot N_e = 0{,}233 \dfrac{kg}{kW \cdot h} \cdot 64kW = 14{,}91 \dfrac{kg}{h}$

$$C_h = \dfrac{14{,}91 \dfrac{kg}{h}}{0{,}825 \dfrac{kg}{l}} = 18 \dfrac{l}{h}$$

Velocidad de avance: $V_a = \dfrac{2 \cdot \pi \cdot n_n}{60 \cdot i_t} \cdot r_d = \dfrac{2 \cdot \pi \cdot 2250}{60 \cdot 102} \cdot 0{,}86 = 1{,}98 \dfrac{m}{s} = 7{,}15 \dfrac{km}{h}$

2.- En estas condiciones se varía la velocidad pero no el par motor

$$n = 0{,}8 \cdot 2250 = 1800 \dfrac{r}{min} \quad y \quad Par \ M = 271{,}62 \ N \cdot m$$

Potencia: $\qquad N = \dfrac{271{,}62 \cdot 2\pi \cdot 1800}{60 \cdot 1000} = 51{,}12 \ kW$

% de Potencia: $\qquad N \% = \dfrac{51{,}12}{80} \cdot 100 = 63{,}92 \ \%$

Consumo específico: $\quad C_e = 220 \dfrac{g}{kW \cdot h}$

Consumo horario: $\quad C_h = 0{,}220 \dfrac{kg}{kW \cdot h} \cdot 51{,}12 \ kW = 11{,}24 \dfrac{kg}{h} = \dfrac{11{,}24 \dfrac{kg}{h}}{0{,}825 \dfrac{kg}{l}} = 13{,}63 \dfrac{l}{h}$

Velocidad de avance: $\quad V_a = \dfrac{2\pi \cdot 1800}{60 \cdot 102} \cdot 0{,}86 = 1{,}52 \dfrac{m}{s} = 5{,}72 \dfrac{km}{h}$

3.- La diferencia de consumo horario en una jornada de 8 horas será:

$$18 \dfrac{l}{h} - 13{,}63 \dfrac{l}{h} = 4{,}37 \dfrac{l}{h} \quad \text{en 8 horas} \quad C = 4{,}37 \dfrac{l}{h} \cdot 8h = 34{,}96 \ l$$

6.-Un tractor equipado con un motor Diesel de 4 cilindros y 4 tiempos, de 5 litros de cilindrada, es ensayado al freno obteniéndose una potencia nominal de 60 kW a 2300 r/min. Sobre el gráfico de curvas de isoconsumo, se pide:

1.- Delimitar la zona donde el motor trabaja entre 40 y 50 kW y el rendimiento efectivo es mayor que 0,32.

2.- Calcular en valor absoluto, los intervalos de velocidad y par motor donde la potencia máxima se mantiene constante.

3.- Determinar el valor de la reserva de par, así como la variación de potencia correspondiente a dicha reserva.

4.- Determinar la fuerza registrada en la balanza del freno en el lugar donde el rendimiento efectivo es máximo. La escala de dicha balanza viene dada en N para obtener la potencia en kW. La constante del freno es 10000.

5.- Calcular la cantidad de combustible inyectado por la bomba en cada cilindro en los siguientes puntos: Nominal. Donde el trabajo efectivo es máximo

6.- Calcular el grado de irregularidad del regulador de la bomba cuando el ensayo al freno se realiza con el acelerador al máximo de su recorrido.

7.- Calcular la velocidad máxima de la bomba de inyección

(Poder calorífico del combustible, PCI = 42000 kJ/kg)

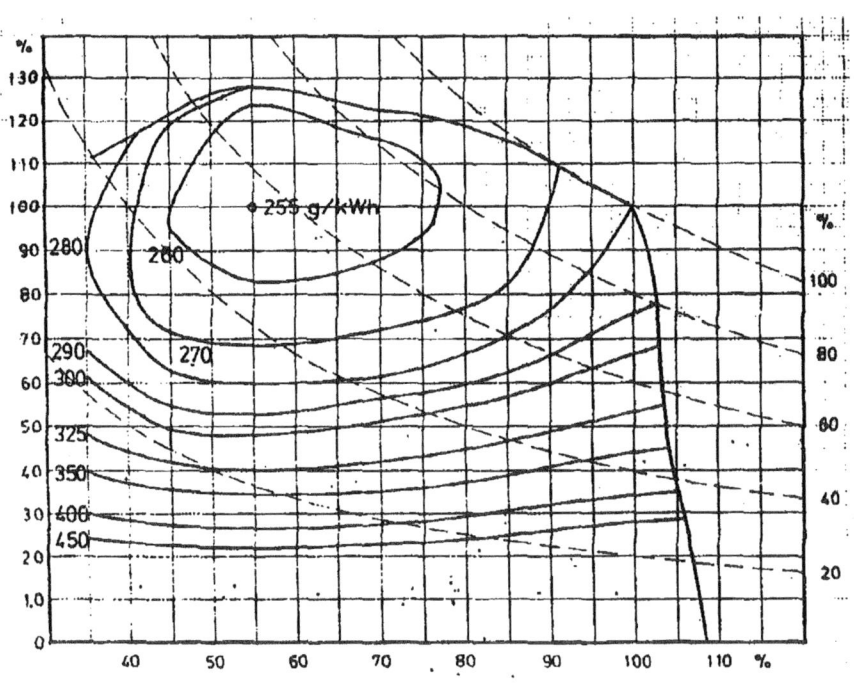

1.- Para 40 kW el porcentaje de potencia utilizado es $\quad N_{40\%} = \dfrac{40}{60} \cdot 100 = 66,66\%$

Para 50 kW el porcentaje de potencia utilizado es $\quad N_{50\%} = \dfrac{50}{60} \cdot 100 = 83,33\%$

El punto pedido se encuentra entre las curvas de potencia cuyos porcentajes respecto de la Nominal se han calculado anteriormente.

Determinamos el consumo específico correspondiente al rendimiento efectivo de 0,32.

Consumo específico $\quad C_e = \dfrac{36 \cdot 10^5}{\eta_e \cdot PCI} = \dfrac{36 \cdot 10^5}{0,32 \cdot 42000} = 267,85 \ \dfrac{g}{kW \cdot h}$

El recinto que se pide se establece interpolando la curva de consumo específico entre los valores 260 y 270 $\dfrac{g}{kW \cdot h}$

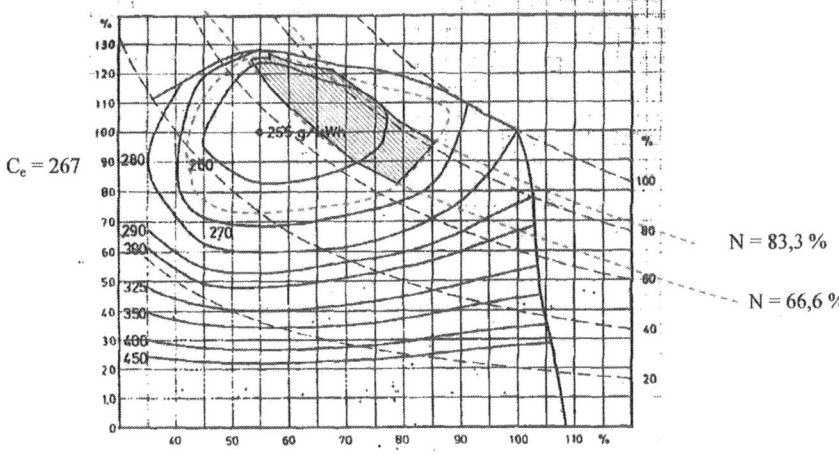

2.- En la curva característica se observa que la potencia máxima se mantiene constante para:

$n_1\% = 100\ \%$ y $n_2\% = 88\ \%$ $\qquad$ el intervalo para $\ n = 100 - 88 = 12\ \%$

$\rightarrow$

$M_1\% = 100\ \%$ y $M_2\% = 112\ \%$ $\qquad$ el intervalo para $\ M = 112 - 100 = 12\ \%$

Por tanto, el intervalo de velocidad será: $\quad \Delta n = 0,12 \cdot 2300 = 276 \ \dfrac{r}{min}$

Para obtener el intervalo del par motor, obtenemos previamente el par nominal:

$$M_n = \dfrac{N_n \cdot 60 \cdot 1000}{2\pi \cdot 2300} = \dfrac{60 \cdot 60 \cdot 1000}{2\pi \cdot 2300} = 249,1 \ N \cdot m$$

$$\Delta M = 0,12 \cdot 249,1 = 29,82 \ N \cdot m$$

3.- Reserva de par $= \dfrac{M_{máx} - M_n}{M_n} \cdot 100 = \dfrac{128-100}{100} \cdot 100 = 28\,\%$

Lo que corresponde en valor absoluto a un par motor de $0,28 \cdot 249,1\ N{\cdot}m = 69,74\ N{\cdot}m$

En la gráfica se observa que la potencia al par máximo corresponde al 70% de la nominal, por tanto, la variación de potencia que corresponde a la reserva de par será:

$100\% - 70\% = 30\%$ que en valor absoluto equivale a $0,30 \cdot 60\ kW = 18\ kW$

4.- El rendimiento efectivo es máximo donde el consumo específico, C_e, es mínimo. Las curvas características y de isoconsumo indican que:

$$C_{e\,min} = 255\ \dfrac{g}{kW \cdot h} \ \rightarrow\ \left| \begin{array}{l} N_e = 58\,\% \cdot\ \ N_n = 0,58 \cdot 60\ kW = 34,8\ kW \\[2mm] n = 55\,\% \cdot\ \ n_n = 0,55 \cdot 2300\ \dfrac{r}{min} = 1265\ \dfrac{r}{min} \end{array} \right.$$

Conocida la potencia efectiva y la velocidad del motor, es posible calcular la fuerza

$$N_e = \dfrac{F \cdot n}{10.000} \ \rightarrow\ F = \dfrac{N_e \cdot 10000}{n} = \dfrac{34,8 \cdot 10000}{1265} = 275\ N$$

5.- Cantidad de combustible inyectado en cada cilindro

- En *el punto Nominal* $\rightarrow C_h = C_e \cdot N_e = 267,85\ \dfrac{g}{kW \cdot h} \cdot 60\ kW = 16,8\ \dfrac{kg}{h}$ a $2300\ \dfrac{r}{min}$

Consumo de combustible en un ciclo: $C_{ciclo} = \dfrac{16800\,\dfrac{g}{h}}{\dfrac{2300\ ciclos}{2} \cdot 60\dfrac{min}{h}\ min} = 0,2434\ \dfrac{g_c}{ciclo}$ para

los 4 cilindros del motor.

Por tanto, el consumo por ciclo y cilindro es de $0,0608\ g_c$

- En punto donde el *trabajo efectivo es máximo*:

Las curvas características indican que el trabajo efectivo es máximo al 55 % de n_n y al 70 % de N_n, luego:

$N_e = 0,7 \cdot 60 = 42\ kW$;

$n = 0,55 \cdot 2300 = 1265\ \dfrac{r}{min}$

Dicho punto corresponde a un consume especifico $C_e = 270 \dfrac{g}{kW \cdot h}$

Por tanto el consumo horario para ese punto será:

$$C_h = 42 \cdot kW \cdot 270 \dfrac{g}{kW \cdot h} = 11340 \dfrac{g}{h}$$

El consumo por ciclo:

$$C_{ciclo} = \dfrac{11340 \dfrac{g}{h}}{\dfrac{1265 \; ciclos}{2} \dfrac{min}{min} \cdot 60 \dfrac{min}{h}} = 0,2988 \dfrac{g_c}{ciclo} , \quad \text{lo que corresponde a } 0,0747 \text{ g}$$

por ciclo y cilindro.

6.- El acelerador al máximo $n_{max} = 109 \%$; manteniendo fija la palanca del acelerador se llega a n = 100%

$$Grado \; de \; irregularidad = \dfrac{(109 - 100)}{\dfrac{109 + 100}{2}} \cdot 100 = 8,61\%$$

7.- La velocidad máxima de la bomba de inyección es:

$$n_{bomba} = \dfrac{n_n \cdot 1,09}{2} = \dfrac{2300 \cdot 1,09}{2} = 1253,5 \; \dfrac{r}{min}$$

7.- Se realiza un ensayo al freno, donde la constante es 10000, sobre un motor Diesel de 3 cilindros y 4T cuyas dimensiones son: Diámetro = 100 mm y Carrera = 120 mm. Se determinan por el método de arrastre las pérdidas mecánicas, resultando una función lineal entre la fuerza en la balanza y la velocidad del motor:

$$F = 23.5 + 9.42 \cdot 10^{-3} \, n \, ; \quad F \, (N) \, y \, n \, (r/min).$$

El poder calorífico del combustible PCI = 42000 kJ/kg.

Se pide:

1.- Representar, sobre el gráfico de las curvas de isoconsumo, el par motor debido a las pérdidas mecánicas.

2.- Rendimiento efectivo, mecánico e indicado en los puntos señalados en dicho gráfico.

3.- Representar el par motor indicado para dichos puntos del gráfico.

4.- Determinar la potencia debida a las pérdidas termodinámicas en cada uno de los puntos señalados, así como el consumo de combustible por ciclo.

5.- Indicar en el gráfico los puntos donde la presión media efectiva es el 80%, 60% y 40% de la correspondiente a la potencia nominal, así como aquellos donde el rendimiento efectivo es máximo para cada uno de los tres casos.

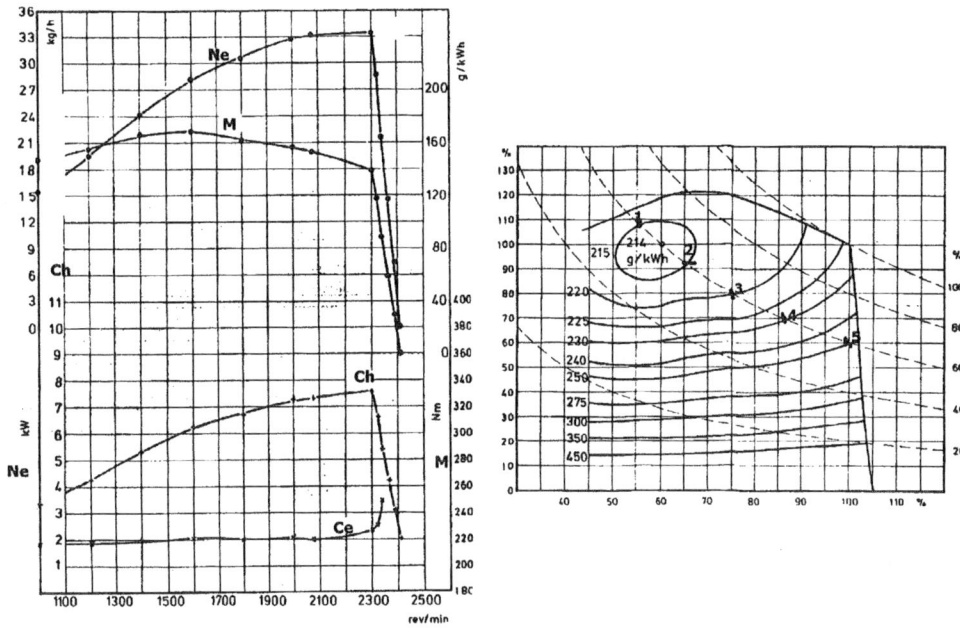

1.- La potencia en los ensayos al freno viene dada por:

$$N = \frac{F \cdot n}{K} = \frac{F \cdot n}{10000}$$

$$N = \frac{M \cdot 2\pi \cdot n}{60 \cdot 1000} = \frac{F \cdot b \cdot 2\pi \cdot n}{60 \cdot 1000}$$

$$\rightarrow \frac{F \cdot n}{10000} = \frac{F \cdot b \cdot 2\pi \cdot n}{60 \cdot 1000} \rightarrow 10000 = \frac{60 \cdot 1000}{2\pi \cdot b}$$

de donde, $b = 0,955$ m.

Conocidas las velocidades de régimen del motor en los distintos puntos, es posible a partir de la función lineal obtenida en el ensayo al freno, calcular la fuerza debido a las pérdidas mecánicas (F_{pm}) y el par motor ($M_{pm} = F_{pm} \cdot b$).

Punto	1	2	3	4	5
n %	55	65	75	85	100
n (r/min)	1265	1495	1725	1955	2300
F_{pm} (N)	35,41	37,58	39,74	41,91	45,16
M_{pm} (N)	33,81	35,81	37,95	40,02	43,12
M_{pm} (%)	24,15	25,5	27,10	28,5	30,8

Las curvas características indican que el Par motor nominal es $M_n = 140$ $N \cdot m$ para un régimen de 2300 r/min

Determinamos el Par debido a las pérdidas mecánicas M_{pm} en %, a partir de M_n.

$$\frac{M_n}{100} = \frac{M_{pm}}{M_{pm}(\%)}$$

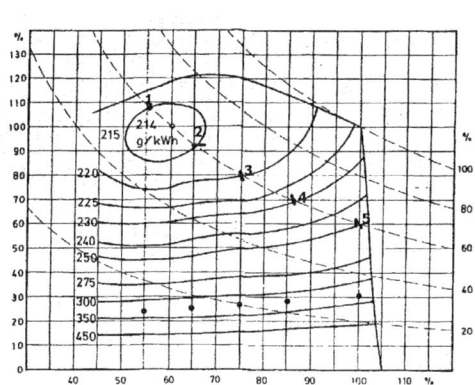

2.- El rendimiento mecánico, efectivo e indicado se obtiene a partir de las siguientes expresiones:

$$\eta_m = \frac{M_e(\%)}{M_e(\%) + M_{pm}(\%)} ; \quad \eta_e = \frac{36 \cdot 10^5}{C_e \cdot PCI} ; \quad \eta_i = \frac{\eta_e}{\eta_m}$$

Previamente será necesario obtener de las curvas características los valores de M_e (%) y C_e para los puntos 1, 2, 3, 4 y 5.

Punto	1	2	3	4	5
M_{pm} %	24,15	25,5	27,10	28,5	30,8
M_e %	108	92	80	70	60
η_m	0,817	0,783	0,746	0,710	0,660
C_e	215	215	220	230	250
η_e	0,398	0,398	0,389	0,372	0,342
η_i	0,487	0,508	0,521	0,523	0,518

4.- El trabajo debido a las pérdidas termodinámicas puede obtenerse a partir de:

$$\eta_i = \frac{W_i}{Q_1} = \frac{W_i}{W_i + W_{pt}} \quad y \quad W_i = W_e + W_{pm} \quad \rightarrow \quad \eta_i = \frac{W_e + W_{pm}}{W_e + W_{pm} + W_{pt}}$$

$$W_{pt} = \frac{W_e(1-\eta_i) + W_{pm}(1-\eta_i)}{\eta_i}$$

Por otra parte $M_x \cdot 4\pi = W_x$,

$$W_e = M_e(\%) \cdot \frac{M_n}{100} \cdot 4\pi$$

$$W_{pm} = M_{pm} \cdot 4\pi, \quad \text{finalmente} \quad N_{pt} = \frac{W_{pt} \cdot n}{2 \cdot 60 \cdot 100}$$

El combustible por ciclo: $W_e = m_c \cdot PCI \cdot \eta_e \quad \rightarrow \quad m_c = \dfrac{W_e}{PCI \cdot \eta_e}$

Punto	1	2	3	4	5
W_{pm} (N·m)	425,02	451,02	477,02	503,03	542,03
W_e (N·m)	1900,03	1618,54	1407,43	1231,50	1055,57
W_{pt} (N·m)	2449,19	2004,39	1732,54	1581,97	1486,57
N_{pt} (kW)	25,81	24,97	24,90	25,77	28,49
m_c	0,1136	0,0968	0,0861	0,0788	0,0734

5.- Los puntos donde p_{me} es el 80%, 60% y 40% de la correspondiente a la potencia nominal, corresponderán a los puntos donde el par es el 80%, 60% y 40% del par nominal.

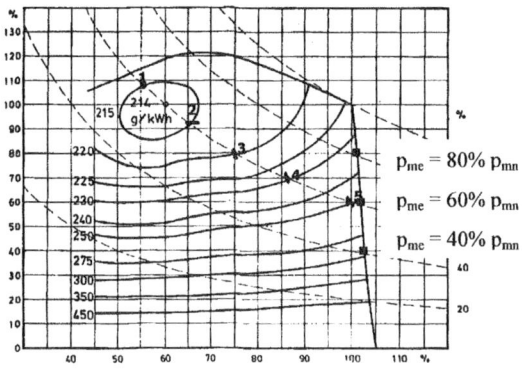

8.- Un motor Diesel de 4 cilindros y 4 tiempos tiene las siguientes características:
- Carrera: 125 mm
- Diámetro: 102 mm
- Potencia nominal: 55,6 kW a 2300 r/min

Calcular:

1.- La variación de consumo horario de combustible correspondiente a la reserva de par y la variación de potencia,

2.- Para los puntos (1), (2), (3), los rendimientos indicado y mecánico si la presión media debida a las pérdidas mecánicas es el 20% de la presión media efectiva para (1), 24% (2) y 27% (3),

3.- Rendimiento volumétrico en dichos puntos, si los consumos de aire son, respectivamente, 2,66 (1); 3,78 (2) y 4,00 (3) kg/min, p_0: 1020 mbar; T_0: 20 C; R: 8315 J/kmol K; M: 29 kg/kmol; PCI: 42000 kJ/kg

4.- Indicar la curva de rendimiento efectivo constante en la que mayor variación de par se produce .

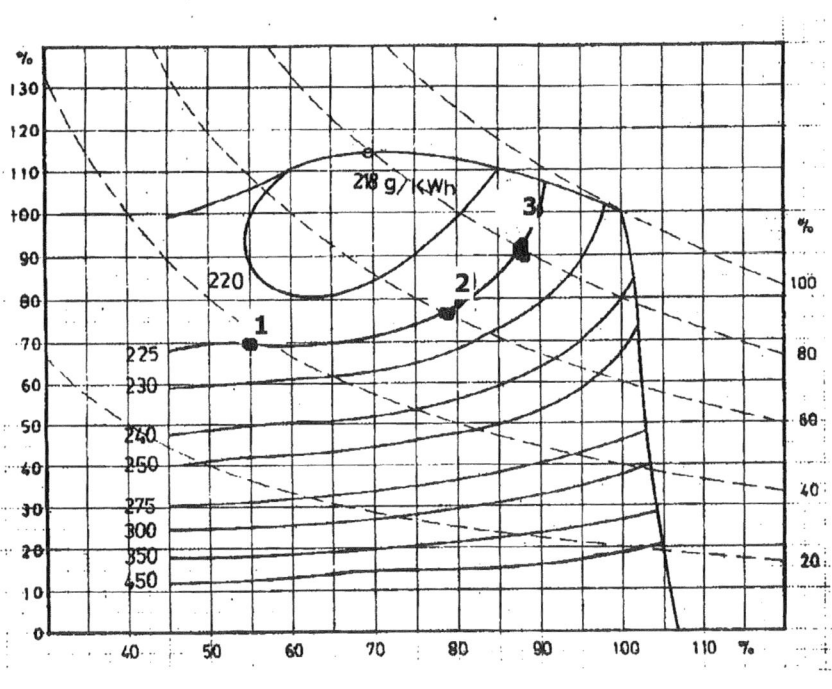

5,- La reserva de par corresponde a la diferencia del par máximo y el par nominal, referida a éste último, en nuestro caso:

$$R_{par} = \frac{115-100}{100} \cdot 100 = 15\%$$

Consumo horario a la potencia nominal: $\quad C_h = 55,6 \; kW \cdot 233 \dfrac{g}{kW \cdot h} = 12,95 \dfrac{kg}{h}$

Consumo horario al par máximo: $\quad C_h = 0,8 \cdot 55,6 \; kW \cdot 218 \dfrac{g}{kW \cdot h} = 9,7 \dfrac{kg}{h}$

Variación de consumo $= 12,95 - 9,7 = 3,25 \dfrac{kg}{h}$

Variación de potencia: $\quad \Delta N \% = 0,20 \cdot 55,6 \; kW = 11,12 \; kW$

2,- El rendimiento mecánico, efectivo e indicado serán:

$$\eta_m = \frac{p_{me}}{p_{me} + p_{mpm}} \qquad \eta_e = \frac{36 \cdot 10^5}{C_e \cdot PCI} \qquad \eta_i = \frac{\eta_e}{\eta_m}$$

Además, según enunciado $p_{mpm} = 0,2 \cdot p_{me}$, $p_{mpm} = 0,24 \cdot p_{me}$ y $p_{mpm} = 0,27 \cdot p_{me}$ para los puntos 1, 2 y 3 respectivamente.

Punto	1	2	3
n %	55	78	87
n (r/min)	1265	1794	2001
η_m	0,83	0,80	0,78
C_e (g/Kw·h)	225	225	225
η_e	0,38	0,38	0,38
η_i	0,457	0,475	0,487

3,- Volumen de cilindrada: $\quad V_c = 4 \cdot \dfrac{\pi \cdot 1,02^2}{4} \cdot 1,25 = 4,085 \; l = 4085 \; cm^3$

Densidad del aire en el exterior: $\quad \delta_o = \dfrac{m_a}{V_c} = \dfrac{P_o \cdot M_a}{R \cdot T} = \dfrac{102000 \dfrac{N}{m^2} \cdot 29 \dfrac{kg}{kmol}}{8315 \dfrac{J}{kmol \cdot K} \cdot 293K} = 1,214 \dfrac{kg}{m^3}$

Rendimiento volumétrico: $\quad \eta_v = \dfrac{m_a}{V_c \cdot \dfrac{n}{2} \cdot \delta_o}$

Punto	1	2	3
m $_a$	2,66	3,78	4,00
η_v	0,840	0,850	0,806

4.- La variación mayor de par se produce a un consumo específico C_e de $230 \dfrac{g}{kW \cdot h}$ que equivale a un rendimiento efectivo constante de 0,372,

9.- Un motor diesel de 4T y 6 cilindros con 110 mm de carrera y 100 mm de diámetro tiene un consumo específico de 240 g/kW·h en un determinado punto de funcionamiento. Si, para dicho punto, el calor debido a las pérdidas termodinámicas es 4500 J, el par motor efectivo vale 250 N·m, y el motor gira a 1800 r/min, lo que supone el 80% del régimen nominal, se pide:

    1,- Rendimientos efectivo, indicado y mecánico para el punto de funcionamiento antes citado,

    2,- Presión media, potencia efectiva y consumo horario para el punto de funcionamiento del apartado anterior,

    3,- Potencia, par motor y velocidad nominales

    4,- Potencia y consumo horario donde el rendimiento efectivo es máximo,

    5,- Indicar si el motor es sobrealimentado teniendo en cuenta que para el punto nominal la relación másica combustible / aire es 0,04 y la densidad del aire en el exterior vale 1,22 g/l,

PCI = 42000 kJ/kg y δ_g = 0,84 kg/l

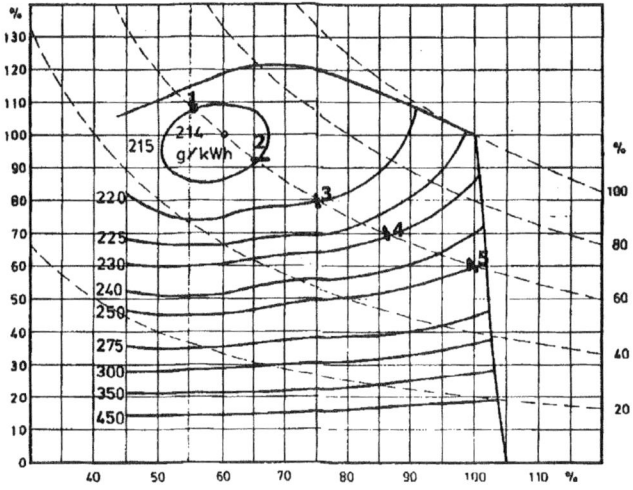

(Ejercicio propuesto en el examen de Motores y Máquinas Térmicas (3° de Silvopascicultura) de 25 Enero de 2007)

1.- Para obtener el rendimiento efectivo, se considera: $\eta_e = \dfrac{36 \cdot 10^5}{C_e \cdot H_i}$

$C_e = 240 \dfrac{g}{kW \cdot h}$ → $\eta_e = \dfrac{36 \cdot 10^5}{240 \cdot 42000} = 0,3571$

Para obtener el rendimiento indicado es necesario obtener el calor efectivo del motor:

$M_e = 250 \, \text{Nm}$ → $W_e = M_e \cdot 4\pi = 250 \cdot 4 \, \pi = 3141,6 \, J$

Calor efectivo: $\quad Q_e = \dfrac{W_e}{\eta_e} = \dfrac{3141,6}{0,3571} = 8797,5\ J$

$$W_i = Q_e - W_{pt} = 8797,5 - 4500 = 4297,51\ J$$

$$\eta_i = \dfrac{W_i}{Q_e} = \dfrac{4297,51}{8797,51} = 0,49$$

$$W_{pm} = W_i - W_e = 4297,51 - 3141,6 = 1155,91\ J$$

Finalmente el rendimiento mecánico será: $\quad \eta_m = \dfrac{\eta_e}{\eta_i} = \dfrac{0,3571}{0,49} = 0,73$

2,- La potencia efectiva: $\quad N_e = \dfrac{2\pi \cdot M_e \cdot n}{60 \cdot 1000} = \dfrac{2\pi \cdot 250 \cdot 1800}{60 \cdot 10000} = 47,12\ kW$

La presión media efectiva: $\quad p_{me} = \dfrac{W_e}{V_c}$, pero previamente se requiere calcular la

cilindrada del motor

$$V_c = \dfrac{\pi \cdot D^2}{4} \cdot s \cdot z = \dfrac{\pi \cdot 10^2}{4} \cdot 11 \cdot 6 = 5183,62\ cm^3$$

$$p_{me} = \dfrac{250\ N \cdot m \cdot 4\pi}{5183,62\ cm^3 \cdot 10^{-6}\ \dfrac{m^3}{cm^3}} = 606061,52\ \dfrac{N}{m^2} = 6,06\ bar$$

Consumo horario en el punto: $\quad C_h = 47,12\ kW \cdot 0,24\ \dfrac{kg}{kW \cdot h} = 11,84\ \dfrac{kg}{h} = 13,5\ \dfrac{l}{h}$

3.- Conocido el consumo específico y la velocidad del motor en el punto de funcionamiento (80% de n_n), se puede obtener el par motor efectivo en las curvas características.

Par motor nominal: $\quad \%\ M_e = 57\ \% \quad \rightarrow \quad \dfrac{57}{100} = \dfrac{250}{M_n} \quad \rightarrow \quad M_n = 438,6\ N\cdot m$

Velocidad nominal: $\quad \dfrac{80}{100} = \dfrac{1800}{n_n} \quad \rightarrow \quad n_n = 2250\ \dfrac{r}{min}$

Potencia nominal: $\quad N_n = \dfrac{2\pi \cdot M_n \cdot n}{60 \cdot 1000} = \dfrac{2\pi \cdot 438,6 \cdot 2250}{60 \cdot 1000} = 103,34\ kW$

4.- El rendimiento efectivo es máximo donde el consumo específico es mínimo

C_e mínimo corresponde en las curvas características a:

$$
\left.\begin{array}{l}
\% \, M = 100 \\
\% \, n = 60 \\
\% \, N = 60
\end{array}\right\} \rightarrow \text{en términos absolutos:}
\left\{\begin{array}{l}
M_n = 438,6 \; N{\cdot}m \\
n = 0,6 \, n_n = 0,6 \cdot 2250 = 1350 \, \dfrac{r}{min} \\
N_e = 0,6 \, N_n = 0,6 \cdot 103,34 \, kW = 62,0 \, kW
\end{array}\right.
$$

Consumo horario en este punto: $\; C_h = 62,0 \, kW \cdot 0,214 \dfrac{kg}{kW \cdot h} = 13,27 \dfrac{kg}{h} = 15,79 \dfrac{l}{h}$

5,- Relación másica combustible/aire $\quad \dfrac{m_c}{m_a} = 0,04$

Se verifican las siguientes ecuaciones:

$$W_e = m_c \cdot PCI \cdot \eta_e = M \cdot 4\pi$$

$$\eta_e = \frac{36 \cdot 10^5}{PCI \cdot C_e}$$

Por tanto $\quad m_c = \dfrac{M \cdot 4\pi}{PCI \cdot \eta_e} = \dfrac{M \cdot 4\pi \cdot C_e}{36 \cdot 10^5} = \dfrac{438,6 \; N \cdot m \cdot 4\pi \cdot 226 \dfrac{g}{kW \cdot h}}{3600000 \dfrac{J}{kW \cdot h}} = 0,346 \dfrac{g}{ciclo}$

Conocida la masa de combustible, se estima la masa de aire: $\quad m_{aire} = \dfrac{0,346}{0,04} = 8,65 \, g \; aire$

Por tanto densidad del aire en el interior:

$$\delta_{aire} = \frac{8,65}{V_c} = \frac{8,65 \; g}{5,183 \; l} = 1,67 \, g/l \; > \; 1,22 \, g/l \; \text{ Si, el motor es } \textbf{sobrealimentado}$$

10.- Un motor diesel de 4000 cm^3 desarrolla una potencia nominal de 90 kW a 2200 r/min, La presión media debida a las pérdidas mecánicas es:

$$p_{mpm}(\text{bar}) = 0,9 + 0,7 \cdot 10^{-3} n \ (\text{r/min})$$

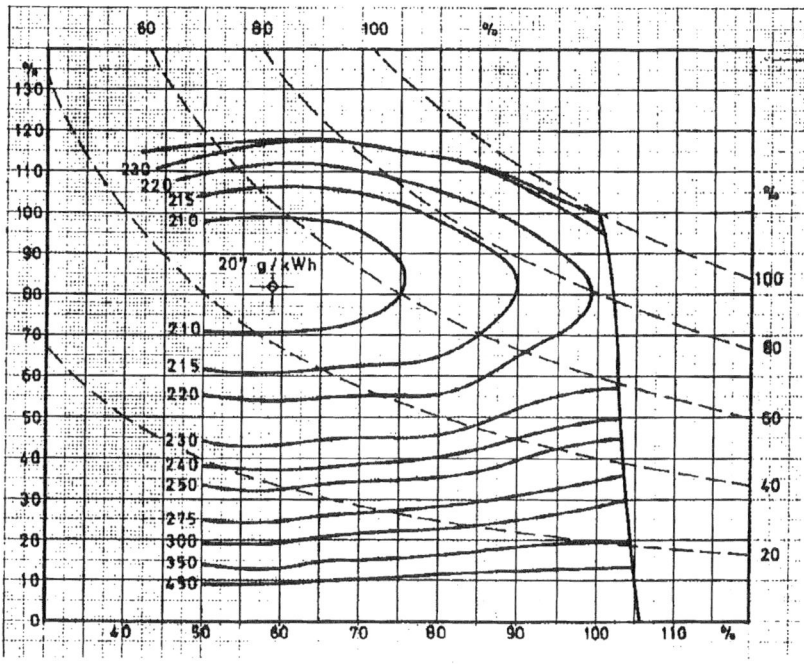

1,- Determinar los rendimientos efectivo, mecánico e indicado en el punto de funcionamiento de mayor eficiencia, así como el consumo horario,
2,- Delimitar la zona donde el rendimiento efectivo es menor de 0,4; la velocidad mayor de 1800 r/min y la presión media efectiva mayor de 8 bar,
3,- Determinar la potencia donde el rendimiento mecánico es 0,8 y el par 250 N·m,
4,- Si para el punto donde el trabajo efectivo es máximo, la relación másica aire/combustible es 20 y la densidad del aire atmosférico es 1,25 g/l, indicar si el motor está sobrealimentado,
(PCI del gasoil 42000 J/g)

1.- El motor tiene una potencia nominal de 90 *kW* a 2200 r/min,

El par motor nominal:
$$M_n = \frac{N_n \cdot 60 \cdot 1000}{2\pi \cdot n} = \frac{90 \cdot 60000}{2 \cdot \pi \cdot 2200} = 390,65 \ N \cdot m$$

La presión media nominal será:
$$p_{mn} = \frac{M_n \cdot 4 \cdot \pi}{V_c} \cdot 10 = \frac{390,65 \ N \cdot m \cdot 4 \cdot \pi}{4000 \ cm^3} \cdot 10 = 12,27 \ bar$$

La presión media debida a las pérdidas mecánicas según el enunciado, siguen la función:

$$p_{mpm}(bar) = 0,9 + 0,7 \cdot 10^{-3} \cdot n \ (r/min)$$

En el punto de mayor eficiencia, el valor de $C_e = 207 \dfrac{g}{kW \cdot h}$

El rendimiento efectivo: $\eta_e = \dfrac{36 \cdot 10^5}{C_e \cdot PCI} = \dfrac{36 \cdot 10^5}{207 \cdot 42000} = 0,414$

Las pérdidas mecánicas para $n = 57\%$ del régimen nominal, se obtiene a partir de la función lineal del enunciado:

$$p_{mpm}(bar) = 0,9 + 0,7 \cdot 10^{-3} \cdot n \ (r/min)$$

$$p_{mpm} = 0,9 + 0,7 \cdot 10^{-3} \cdot 0,57 \cdot 2200 \qquad\qquad p_{mpm} = 1,778 \ bar$$

El valor relativo de la presión media debida a pérdidas mecánicas:

$$(\%)p_{mpm} = \frac{p_{mpm}}{p_{mn}} = \frac{1,778}{12,27} = 14,49 \ \%$$

El rendimiento mecánico siendo presión media efectiva relativa; $p_{me}(\%) = 82\%$

$$\eta_m = \frac{82}{82 + 14,49} \qquad\qquad \eta_m = 0,85$$

El rendimiento indicado será: $\eta_i = \dfrac{\eta_e}{\eta_m} = \dfrac{0,414}{0,85} = 0,487$

Para obtener el consumo horario, consideramos la potencia del punto pedido:

$$N_e = \frac{M \cdot 2 \cdot \pi \cdot n}{60 \cdot 1000} \qquad siendo \qquad M = 0,81 \cdot M_n \quad y \quad n = 0,57 \ n_n$$

$$N_e = 0,81 \cdot 0,57 \cdot \frac{M_n \cdot 2\pi \cdot n_n}{60 \cdot 1000} = 0,4167 \cdot N_n = 41,55 \ kW$$

El consumo horario será: $C_h = \dfrac{C_e \cdot N_e}{1000} = \dfrac{207 \dfrac{g}{kW \cdot h} \cdot 41,55 \ kW}{1000} = 8,60 \dfrac{g}{h}$

2.- Delimitar la zona donde se cumple:

- $\eta_e < 0,4 \qquad \rightarrow \qquad C_e > \dfrac{36 \cdot 10^5}{\eta_e \cdot PCI} = \dfrac{36 \cdot 10^5}{0,4 \cdot 42000} \qquad\qquad C_e > 214,28 \dfrac{g}{kW \cdot h}$

- velocidad $> 1800 r/min \quad \%n = \dfrac{1800}{2200} \cdot 100 = 81,81\% \qquad\qquad n > 81,81\%$

- $p_{me} > 8 \ bar \qquad \rightarrow \qquad \%p_{me} = \dfrac{8}{12,27} \cdot 100 = 65,2\% \qquad\qquad p_{me} > 65,2\%$

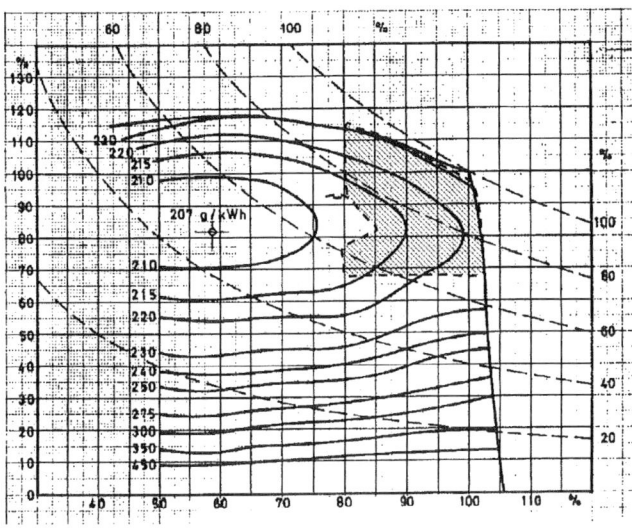

3.- Potencia para $\eta_m = 0,8$ y $M = 250\ N\cdot m$

$$p_{mpm}(\text{bar}) = 0,9 + 0,7\cdot10^{-3}\cdot n\ (\text{r/min})$$

$$\%M_e = \%p_{mc} = \frac{M}{M_n}\cdot100 = \frac{250\ N\cdot m}{390,65\ N\cdot m}\cdot100 = 64\%$$

El valor relativo de p_{mpm}: $$p_{mpm}\% = \frac{0,9 + 0.7\cdot10^{-3}\cdot n}{12,27}\cdot100 = 7,335 + 5,70\cdot10^{-3}\cdot n$$

El rendimiento mecánico: $$\eta_m = 0,8 = \frac{64}{64 + 7,335 + 5,70\cdot10^{-3}\cdot n}$$

$$57,068 + 4,56\cdot10^{-3}\cdot n = 64 \quad \rightarrow \quad n = 1520\ \frac{r}{min}$$

Finalmente la potencia: $$N_e = \frac{M\cdot2\pi\cdot n}{60\cdot1000} = \frac{250\cdot2\pi\cdot1520}{60\cdot1000} = 39,8\ kW$$

4, Indicar si el motor está sobrealimentado para punto donde *Trabajo efectivo* es *máximo*, Ese punto se verifica donde el par motor máximo,

$M_{máximo} = 1,18\cdot M_n = 1,18 \cdot 390,65\ N\cdot m = 460,97\ N\cdot m$
$W_{máximo} = M_{máximo}\cdot4\cdot\pi = 460,97\ N\cdot m \cdot4\cdot\pi = 5792,68\ J$

En la gráfica de isoconsumo se observa que en para ese punto $C_e = 230\ \dfrac{g}{kW\cdot h}$

El rendimiento efectivo para este punto será: $\eta_e = \dfrac{36 \cdot 10^5}{230 \cdot 42000} = 0,3726$

El trabajo: $W = m_c \cdot PCI \cdot \eta_e \quad \rightarrow \quad m_c = \dfrac{W}{PCI \cdot \eta_e} = \dfrac{5792,68}{42000 \cdot 0,3726} = 0,37 \ \dfrac{g_c}{ciclo}$

La relación másica aire/combustible es 20, luego la masa de aire será:

$$m_a = 0,37 \cdot 20 = 7,40 \ \dfrac{g_a}{ciclo}$$

La densidad de aire en el motor es: $\delta_a = \dfrac{7,40g}{4l} = 1,85 \ \dfrac{g_a}{l}$

Como $1,85 \dfrac{g}{l} > 1,25 \dfrac{g}{l}$ el motor es **sobrealimentado**

11.- Un motor Diesel de 4 cilindros, 4 T, y 5000 cm³ de cilindrada desarrolla una potencia efectiva de 60 kW a 2000 r/min, que representa el 85% del régimen nominal, consumiendo 134 cm³ en 30 segundos, Al suprimir la inyección del primer cilindro, manteniendo en funcionamiento los restantes, se obtiene una potencia de 39 kW, Cuando se realiza la misma operación con el 2°, 3° y 4° cilindro se obtienen 41, 40 y 40 kW respectivamente, En todos los casos la velocidad del motor es la citada anteriormente, Con ayuda del mapa de curvas de isoconsumo, Se pide:

1. Potencia nominal y par motor debido a las pérdidas mecánicas,
2. Rendimientos indicado y mecánico cuando el motor trabaja al 80 y 60% de la potencia nominal a 2000 r/min,
3. Presiones medias efectivas en los puntos del apartado anterior,
(δg = 0,84 kg/1 , PCI=42000 kJ/kg)

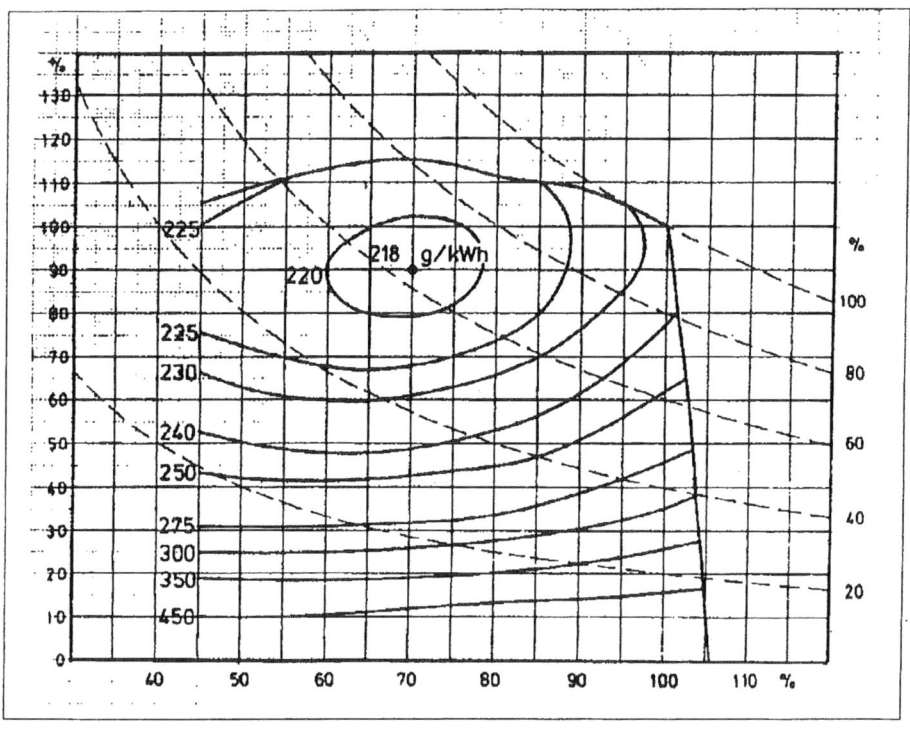

1.- Potencia nominal y par motor debido a las pérdidas mecánicas

Velocidad nominal:
$$n_n = \dfrac{2000 \, \dfrac{r}{min}}{0,85} = 2353 \; \dfrac{r}{min}$$

Consumo horario:
$$C_h = \dfrac{134 \; cm^3}{30 \; s} \cdot 3600 \, \dfrac{s}{h} \cdot \dfrac{1}{1000 \; cm^3} \, \dfrac{l}{} \cdot 0,84 \, \dfrac{kg}{l} = 13,500 \; \dfrac{kg}{h}$$

Consumo específico:
$$C_e = \dfrac{C_h}{N_e} = \dfrac{13500 \, \dfrac{g}{h}}{60 \; kW} = 225,12 \, \dfrac{g}{kW \cdot h}$$

El punto corresponde a la intersección de la línea de C_e de $225,12 \, \dfrac{g}{kW \cdot h}$, con la del 85% del régimen nominal. La potencia de funcionamiento es aproximadamente el 70% de la nominal, luego la potencia nominal será:

$$N_n = \dfrac{60}{0,7} = 85,7 \; kW$$

2.- Rendimientos indicado y mecánico.

Se determina el rendimiento por el método de Morne

Potencia efectiva = suma de la potencia efectiva de cada cilindro:

$$N_e = N_{e1} + N_{e2} + N_{e3} + N_{e4}$$

Al suprimir la inyección en el primer cilindro

$$N'_{e1} = -N_{pm_1} + N_{e2} + N_{e3} + N_{e4}$$

De idéntica forma, se razona para el resto de los cilindros,

$$N'_{e2} = N_{e1} - N_{pm_2} + N_{e3} + N_{e4}$$

$$N'_{e3} = N_{e1} + N_{e2} - N_{pm_3} + N_{e4}$$

$$N'_{e4} = N_{e1} + N_{e2} + N_{e3} - N_{pm_4}$$

Sumando las cuatro ecuaciones anteriores término a término:

$$N'_{e1} + N'_{e2} + N'_{e3} + N'_{e4} = 3 \cdot (N_{e1} + N_{e2} + N_{e3} + N_{e4}) - (N_{pm_1} + N_{pm_2} + N_{pm_3} + N_{pm_4})$$

$$N_{pm} = 3 \cdot (N_{e1} + N_{e2} + N_{e3} + N_{e4}) - (N'_{e1} + N'_{e2} + N'_{e3} + N'_{e4})$$

$$N_{pm} = 3 \cdot 60 - (39 + 41 + 40 + 40) = 20 \; kW$$

$$M_{pm} = \dfrac{20 \cdot 60 \cdot 1000}{2\pi \cdot 2000} = 95,49 \; N \cdot m$$

Par motor nominal:
$$M_n = \dfrac{85,7 \cdot 60 \cdot 1000}{2\pi \cdot 2353} = 347,86 \; N \cdot m$$

Porcentaje del par nominal debido a las pérdidas mecánicas:

$$\% \, M_{\text{pm}} = \frac{M_{pm}}{M_n} \cdot 100 = \frac{95,49}{347,85} \cdot 100 = 27,5\%$$

Al 80% de la potencia nominal y 2000 r/min (85%), el par motor relativo es el 95% y el consumo específico $C_e = 223 \dfrac{g}{kW \cdot h}$, luego:

$$\eta_{\text{m}} = \frac{M_e}{M_e + M_{pm}} = \frac{95}{95 + 27,5} = 0,78$$

$$\eta_{\text{e}} = \frac{36 \cdot 10^5}{PCI \cdot C_e} = \frac{36 \cdot 10^5}{42000 \cdot 223} = 0,38$$

$$\eta_{\text{i}} = \frac{\eta_e}{\eta_m} = \frac{0,38}{0,78} = 0,49$$

Al 60% de la potencia nominal y 2000 r/min, el par motor relativo es el 70% y el consumo específico $C_e = 230 \dfrac{g}{kW \cdot h}$, luego

$$\eta_{\text{m}} = \frac{M_e}{M_e + M_{pm}} = \frac{70}{70 + 27,5} = 0,72$$

$$\eta_{\text{e}} = \frac{36 \cdot 10^5}{PCI \cdot C_e} = \frac{36 \cdot 10^5}{42000 \cdot 230} = 0,37$$

$$\eta_{\text{i}} = \frac{\eta_e}{\eta_m} = \frac{0,37}{0,72} = 0,51$$

3.- La presión media nominal es

$$p_{\text{mn}} = \frac{M_n \cdot 4\pi}{V_c} \cdot 10 = 9,41 \; bar$$

La presión media efectiva al 80% $\rightarrow$ $p_{\text{me}} = 0,95 \cdot 9,41 = 8,94 \; bar$

La presión media efectiva al 60% $\rightarrow$ $p_{\text{me}} = 0,7 \cdot 9,41 = 6,58 \; bar$

12.- Un motor Diesel de 4T y 4000 cm^3 de cilindrada tiene una velocidad nominal de 2400 r/min. El par motor relativo debido a las pérdidas mecánicas coincide en el gráfico de las curvas de isoconsumo con la de 300 g/kW·h. Se pide:

1. Par, potencia y presión media efectiva, nominales, si la reserva de par equivale a 60 N·m.
2. Para el 80% de la velocidad nominal dibujar la línea que relaciona la potencia con el consumo horario.
3. Determinar los rendimientos mecánico e indicado en los siguientes puntos:
   a. Donde el rendimiento efectivo es máximo,
   b. Donde el motor desarrolla la potencia máxima,
   c. Donde el motor alcanza la mayor velocidad para un rendimiento efectivo de 0,4
4. Si la relación combustible aire para el punto de máxima potencia es 1/20 ¿Puede decirse que el motor está sobrealimentado teniendo en cuenta que la densidad del aire en el ambiente es 1,25 g/l?

(PCI = 42000 kJ/kg y densidad de gasoil, $\delta_g = 0,86$ kg/l)

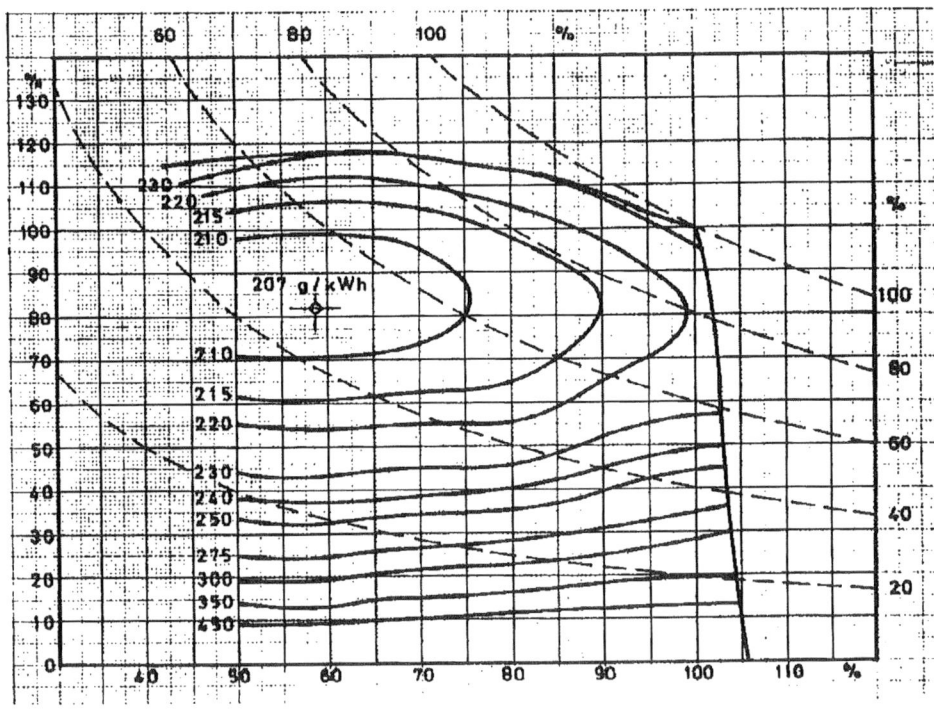

1.- Según el enunciado, la reserva de par (= diferencia entre el par motor máximo y el par nominal) es 60 N·m. Esta diferencia en la gráfica corresponde a:

$$M_{max}\% - M_{nominal}\% = 18\%$$

luego el par nominal: $\dfrac{18\%}{60N \cdot m} = \dfrac{100\%}{M_n}$ $M_n = 333,33\ N·m$

La potencia nominal: $N_m = \dfrac{M_n \cdot 2\pi \cdot n}{60 \cdot 1000} = \dfrac{333,33 \cdot 2\pi \cdot 2400}{60 \cdot 1000} = 83,72\ kW$

La presión media nominal: $p_{mn} = \dfrac{W_n(J)}{V_c(\text{cm}^3)}\, 10 = \dfrac{M_n \cdot 4\pi}{V_c} \cdot 10 = \dfrac{333,33 \cdot 4\pi}{4000}\, 10 = 10,47\ bar$

2.- Para dibujar la línea que relaciona la potencia con el consumo se obtiene la siguiente tabla:

Para el punto 1:

$M_1 = 0,12 \cdot 333,33 = 40\ N·m;$ $N_1 = \dfrac{40 \cdot 2\pi \cdot 1920}{60 \cdot 1000} = 8,04\ kW$

$C_{h1} = C_e \cdot N_1 = 0,45 \cdot \dfrac{kg}{kW \cdot h} \cdot 8,04\ kW = 3,62\ \dfrac{kg}{h}$

De igual forma se calcula para cada punto indicado en la tabla adjunta,

Punto		M%	M_n (N·m)	M	C_e (g/kW·h)	N (kW)	C_h (kg/h)
1	1920	12	333,33	40,00	450	8,04	3,62
2	1920	16	333,33	53,33	350	10,72	3,75
3	1920	23	333,33	76,67	300	15,41	4,62
4	1920	28	333,33	93,33	275	18,77	5,16
5	1920	35	333,33	116,67	250	23,46	5,86
6	1920	40	333,33	133,33	240	26,81	6,43
7	1920	46	333,33	153,33	230	30,83	7,09
8	1920	56	333,33	186,66	220	37,53	8,26
9	1920	65	333,33	216,66	215	43,56	9,37
10	1920	98	333,33	326,66	215	65,68	14,12
11	1920	105	333,33	350,00	220	70,37	15,48

En el gráfico adjunto se representa la línea que relaciona la potencia, N (kW), con el consumo horario, $C_h \left(\dfrac{l}{h}\right)$.

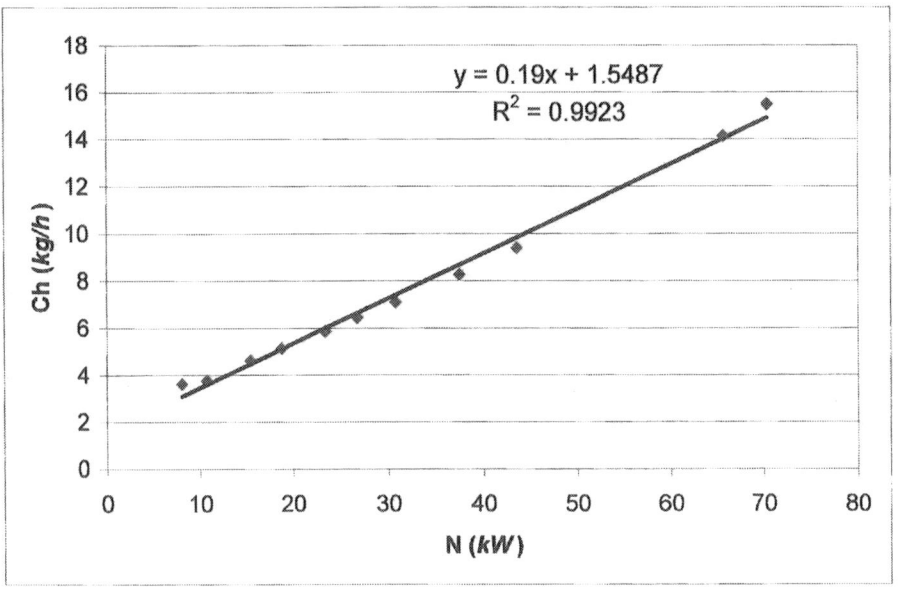

3.- Los rendimientos mecánico o indicado:

- donde el *rendimiento efectivo es máximo*

El rendimiento efectivo máximo se obtiene para el punto de consumo específico mínimo, C_e = 207 g/kW·h, cuyas coordenadas en la gráfica son: M% = 82% y n% = 58%.

Además, según el enunciado, M_{pm}% coincide en el gráfico de las curvas de isoconsumo de 300 g/kW·h, luego, M_{pm}% = 20%,

$$\eta_m = \frac{M_e}{M_e + M_{pm}} = \frac{\dfrac{M_e}{M_n}}{\dfrac{M_e}{M_n} + \dfrac{M_{pm}}{M_n}} = \frac{0,82}{0,82 + 0,20} = 0,803$$

$$\eta_e = \frac{36 \cdot 10^5}{PCI \cdot C_e} = \frac{3600000}{42000 \cdot 207} = 0,414$$

$$\eta_i = \frac{\eta_e}{\eta_m} = \frac{0,414}{0,803} = 0,515$$

- donde la *potencia es máxima,*

En este caso, el rendimiento efectivo se obtiene para el $C_e = 231 \dfrac{g}{kW \cdot h}$

$\dfrac{M_{pm}}{M_n} = 28\%$ para obtener el rendimiento mecánico:

$$\eta_{\text{m}} = \frac{M_e}{M_e + M_{pm}} = \frac{\dfrac{M_e}{M_n}}{\dfrac{M_e}{M_n} + \dfrac{M_{pm}}{M_n}} = \frac{1}{1+0,28} = 0,781$$

$$\eta_{\text{e}} = \frac{36 \cdot 10^5}{PCI \cdot C_e} = \frac{3600000}{42000 \cdot 231} = 0,37$$

$$\eta_{\text{i}} = \frac{\eta_e}{\eta_m} = \frac{0,37}{0,781} = 0,4737$$

- donde el *motor alcanza mayor velocidad y* $\eta_e = 0,4$,

El motor tiene un rendimiento efectivo de 0,4 donde el consumo específico es:

$$C_{\text{e}} = \frac{3600000}{PCI \cdot \eta_e} = \frac{3600000}{42000 \cdot 0,4} = 214,28 \frac{g}{kW \cdot h}$$

La velocidad máxima en estas condiciones es aproximadamente el 88% de la velocidad nominal, Las coordenadas de C_e son M% = 85% y M_{pm} = 25%

$$\eta_{\text{m}} = \frac{M_e}{M_e + M_{pm}} = \frac{0,85}{0,85 + 0,25} = 0,77$$

$$\eta_{\text{i}} = \frac{\eta_e}{\eta_m} = \frac{0,4}{0,77} = 0,518$$

4,- ¿puede decirse que el motor está sobrealimentado?

Tal como se obtuvo anteriorente, para el puntos de mayor potencia p_{me} = 10,47 bar

La masa de combustible por ciclo:

$$W_{\text{e}} = M_e \cdot 4\pi = m_c \cdot PCI \cdot \eta_e \;\rightarrow\; m_c = \frac{M_e \cdot 4\pi}{PCI \cdot \eta_e} \left.\begin{array}{c}\\[2.2em]\end{array}\right\}$$

$$C_{\text{e}} = \frac{36 \cdot 10^5}{PCI \cdot \eta_e}$$

Luego, $\quad m_c = \dfrac{M_e \cdot 4\pi \cdot C_e}{36 \cdot 10^5} = \dfrac{333,33 \cdot 4\pi \cdot 231}{3600000} = 0,268 \dfrac{g}{ciclo}$

La masa de aire: $\quad m_a = 0,268 \cdot 20 = 5,37 \dfrac{g}{ciclo}$

La densidad del aire en el motor viene dada por la expresión siguiente:

$$\delta_{\text{a}} = \frac{m_a}{V_c} = \frac{5,37g}{4l} = 1,3438 \frac{g}{l}$$

Dado que: $1,3438 \frac{g}{l} > 1,25 \frac{g}{l}$ (densidad el aire ambiental) el motor está **sobrealimentado**.

Apéndice

NOTIFICACIÓN Y EXPRESIONES MATEMÁTICAS

EXPRESIONES MATEMÁTICAS UTILIZADAS PARA EL CALCULO DE LAS VARIABLES QUE CARACTERIZAN LAS PRESTACIONES DE LOS MOTORES DE COMBUSTIÓN INTERNA DE 4T

Cilindrada: $V_c = \dfrac{\pi \cdot D^2}{4} \cdot s \cdot z$; donde: D = Diámetro de cada cilindro; s = Carrera ; z = Número de cilindros

Calor aportado al motor: $Q_1 = m_c \cdot PCI$, donde:

    m_c: Masa de combustible aportada por ciclo (g/ciclo)

    PCI: Poder calorífico inferior del combustible ≈ 42000 (J/g)

Trabajo Teórico: $W_t = m_c \cdot PCI \cdot \eta_t$

Rendimiento térmico teórico: (Ciclo OTTO) $\eta_t = 1 - \dfrac{1}{\rho^{\gamma-1}}$ (Ciclo DIESEL) $\eta_t = 1 - \dfrac{\rho_0^{\gamma} - 1}{\gamma \cdot \rho^{\gamma} \cdot (\rho_0 - 1)}$

Relación de compresión: ρ

Grado de combustión: ρ_0

Trabajo Indicado: $W_i = m_c \cdot PCI \cdot \eta_t \cdot \lambda = m_c \cdot PCI \cdot \eta_i$ siendo λ: Coeficiente de calidad del diagrama

Trabajo Efectivo: $W_e = m_c \cdot PCI \cdot \eta_t \cdot \lambda \cdot \eta_m = m_c \cdot PCI \cdot \eta_i \cdot \eta_m = m_c \cdot PCI \cdot \eta_e$ donde:

η_i : Rendimiento Indicado; η_m: Rendimiento Mecánico; η_e : Rendimiento Efectivo o Económico

Dosado: $F = \dfrac{m_c}{m_a}$ siendo m_a: Masa real de aire por ciclo

Dosado Relativo: $F_R = \dfrac{F}{F_e}$ siendo F_e : Dosado Estequiométrico

Presión media (x): $p_{mx} = \dfrac{W_x}{V_c}$

Relación entre Par Motor (M), Trabajo (W) y Presión media (p_m) $\quad M_x \cdot 4\pi = W_x = p_{mx} \cdot V_c$

> **x** $\equiv$ Teórico/a **t**, Indicado/a **i**, Efectivo/a **e**, Pérdidas mecánicas **pm**, Pérdidas Termodinámicas **pt**.

Masa real de aire introducida en el motor por ciclo: $m_a = V_c \cdot \delta_0 \cdot \eta_v$ siendo

η_v : Rendimiento volumétrico; δ_0 : Densidad del aire en el ambiente exterior

Potencia: $N_x = \dfrac{W_x \cdot n}{2 \cdot 60 \cdot 1000}(kW) = \dfrac{M_x \cdot 2\pi \cdot n}{60 \cdot 1000}(kW) = \dfrac{pm_x \cdot V_c \cdot n}{2 \cdot 60 \cdot 1000}(kW)$ siendo n: Velocidad del motor (r/min)

Consumo específico: $C_e = \dfrac{36 \cdot 10^5}{\eta_e \cdot H_i}\left(\dfrac{g}{kW \cdot h}\right) = \dfrac{C_h\left(\dfrac{g}{h}\right)}{N_e(kW)}$ siendo C_h : Consumo horario de combustible

Pérdidas Termodinámicas: $W_{pt} = Q_1 - W_i$

Pérdidas Mecánicas: $W_{pm} = W_i - W_e = V_c \cdot pm_{pm} = V_c \cdot (a + b \cdot n)$; a y b Constantes

Pérdidas Totales: $W_{per-tot} = Q_1 - W_e$

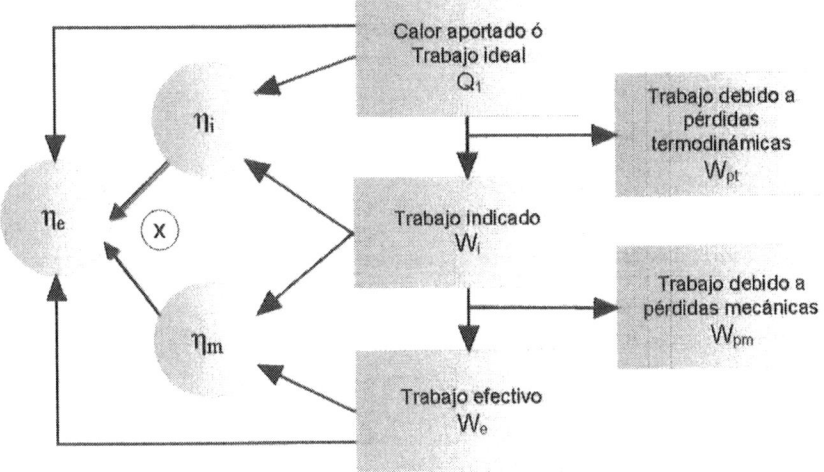

$$Q_1 = m_c \cdot PCI$$

$$Q_1 = W_i + W_{pt}$$

$$W_i = W_e + W_{pm}$$

$$\eta_i = \frac{W_i}{Q_1} = \frac{W_i}{W_i + W_{pt}}$$

$$\eta_m = \frac{W_e}{W_i} = \frac{W_e}{W_e + W_{pm}}$$

$$\eta_e = \frac{W_e}{Q_1} = \frac{W_i}{Q_1} \cdot \frac{W_e}{W_i} = \eta_i \cdot \eta_m$$

Trabajo ◇   Par ◇ presión media ◇ Potencia a igual nº revoluciones

$$W_x = M_x \cdot 4\pi \quad \diamond \quad p_m = \frac{W}{V_c} \quad \diamond \quad N = \frac{W \cdot n}{2 \cdot 60 \cdot 1000}$$